# TU M'APPELLES
# EN ARRIVANT ?

DU MÊME AUTEUR :

– AU BONHEUR DES ÂMES. Stock, 1994.
– ISATIS. Denoël, 1997.
– CARNET DE NOTES. Le Cherche Midi, 2001.
– DESTINS CROISES. Mango-Sport, 2004.
– VITRIOL MENTHE. Oh ! Éditions, 2005.
– PUTAIN D'AUDIENCE. Éditions Florent Massot, 2006.


SOUS LE NOM DE JOSEPH LUBSKY

– LA CELLULE DE ZARKANE. Éditions Florent Massot, 2007.

Patrick Sébastien

# TU M'APPELLES
# EN ARRIVANT ?

FLORENT MASSOT

ISBN : 978-2-916-54633-9
Tous droits de traduction, de reproduction et d'adaptation
réservés pour tous pays

## MARTEL (Lot).
## Nuit du 12 au 13 octobre 2008.

J'ai atterri vers trois heures du matin, comme chaque week-end. La piste balisée m'a mené à la porte de la maison familiale. Oh, non ! Pas d'avion privé sur un tarmac de star. Je ne me déplace qu'en voiture. Juste les cinquante derniers mètres du petit chemin de la propriété éclairé de part et d'autre par des petites lampes. Façon aéroport. Pour me sentir encore plus chez moi. Comme si je revenais de l'étranger chaque fois que j'arrive seulement de Paris.

Pas de chien pour m'accueillir. Tyson est parti. L'animal à l'oreille bouffée a quitté la maison où il vivait depuis huit ans quelques jours après l'arrivée de Lily, notre petite Tahitienne adoptée. Il a dû croire qu'on n'aurait pas assez d'amour pour lui aussi. Les hommes n'imaginent pas l'incommensurable réserve qu'ils possèdent, alors, tu penses les chiens !

Nana, ma femme, est restée à Paris avec la petite princesse. J'ai passé le week-end avec elles. J'aurai dû rester encore toute la semaine avant de revenir dans ma campagne, mais j'avais besoin de la voir, de lui parler, de profiter d'elle, de nous. Elle… Maman, qui ne va pas bien. Maman qui s'en va. Maman qui va me laisser seul au bout de cinquante-quatre ans d'amour absolu. Cinquante-cinq si elle tient jusqu'au 14 novembre.

Jeudi soir, j'ai eu le professeur au téléphone.

— Je suis plutôt pessimiste.

— C'est-à-dire ?

— Le foie et les reins ne marchent presque plus. Les soins ne peuvent plus être que des soins de confort.

— À partir de quand va-t-on entrer dans l'acharnement ?

— On y est.

— Et… le… Pronostic vital.

— Deux mois, peut-être. Mais, à tout moment, ça peut coincer.

Voilà ! Clair, précis. Abominablement réaliste. Maman va mourir. Je le sais. Pas elle. Peut-être demain, sûrement plus tard. Ma plus belle histoire d'amour devient un enfer chronométré, une dégringolade en pente douce, un chemin de croix. Le professeur ne m'a laissé aucun espoir, pas une lueur. « Préparez-vous au pire », aurait-il pu ajouter. Pas la peine de m'y préparer, j'y suis déjà dans le pire. Il y a même l'éventualité du pire du pire. Être contraint d'avoir à faire le cas échéant le plus terrible des choix : décider de la fin pour abréger la souffrance. Maman m'a toujours fait promettre, si un jour, la déchéance était trop grande, de ne pas la laisser partir en miettes.

J'ai cherché dans le dictionnaire. Entre Vanzetti et le département du Var, il n'y est pas Vaquez. À moins qu'il soit au W, mais je n'y suis pas allé voir. La maladie de Maman porte son nom. Je le déteste. Il n'aurait pas pu laisser son patronyme à un champagne, une douceur, ce crétin ! Ça y est, la fantaisie me reprend. Tant mieux. L'humour, la super Biafine des grands brûlés ! Celui qui m'a fait dire, quand mon fils s'est tué en moto, qu'il imitait Coluche mieux que moi. Et pourquoi pas ? Il faut bien survivre. J'ai tellement mal. À la mémoire, aux tripes, au nombril. Surtout au nombril. Réellement. Un point de douleur précis et lancinant au bout de chair qui me liait à elle.

J'ai décidé d'écrire. Pour moi, bien sûr. L'exutoire traditionnel. Pour toi aussi. Pour te raconter un amour hors norme, une fusion magnifique. Pour qu'il reste quelque chose d'elle après moi, de nous après nous. Notre histoire n'est pas exceptionnelle, elle est juste belle, très belle. Je vais noircir ces pages au jour le jour, bien plus, à la nuit la nuit, jusqu'au bout, en me souvenant. Je vais te raconter nous deux jusqu'à moi seul, parce que je sais déjà qu'après elle, je serai un autre ou peut-être plus. J'ai toujours eu des projets suicidaires, mais je me suis promis de ne jamais passer à l'acte tant qu'elle serait vivante. Nous y voilà. Quelques jours, semaines, et je serai enfin maître de ma suite. Ça ne veut surtout pas dire que je le ferai, mais je m'en serai donné la permission. Je ne tiens pas plus que ça à la vie. Mais, par chance, la vie doit tenir à moi. En tout cas, beaucoup de choses me le laissent croire. Les multiples accidents auxquels j'ai échappé et surtout l'état de grâce que m'accorde chaque bilan médical. Et pourtant, d'excès de boissons en excès de tabac, de surcharges de stress en bagarres de rue, j'ai exposé mon corps à tous les risques. Miraculeusement, aucune séquelle grave, aucune dégénérescence n'entrave pour l'instant mon équilibre physique et psychique. Les gènes de Maman y sont sûrement pour beaucoup. Je ne peux en être reconnaissant qu'à elle, vu qu'aujourd'hui encore, je ne suis absolument pas certain de l'identité de mon père.

Je suis né bâtard. C'est le qualificatif courant. Une insulte pour certains. Pour moi, une étiquette seulement. Même pas injurieuse. Presque même une fierté aujourd'hui, tant, si je ne l'avais pas été, ma vie en aurait été différente. Certainement bien moins riche, bien moins passionnante et passionnée. Cette bâtardise, c'est la clé de l'amour absolu qui me lie à Maman. Un cordon indestructible. Le fil qui, quel que soit l'endroit où je me trouve, me ramène sans cesse à elle. Depuis de longues années, ce fil est relié à une prise de terre : ce coin perdu du Lot où je vais rejoindre Maman et les miens chaque semaine. D'ailleurs, c'est peut-être bien la conjugaison de cet ermitage rural et de la bienveillance maternelle qui, au-delà de la sauvegarde de mon âme, m'a conservé une santé à toute épreuve.

J'ai acheté la propriété de Martel en 1978. Je n'avais pas encore beaucoup d'argent. J'ai pris un crédit sur vingt-cinq ans. Le succès m'a offert une rente bien supérieure aux intérêts. Aujourd'hui, Esclauzars est un grand domaine de trente-cinq hectares, perdu dans le Causse quercynois.

La petite ferme du début est devenue maison de maître. Dix chambres, un tennis, une piscine, une dépendance pour Nana et moi. Tous les signes de la réussite sociale un peu plus qu'ordinaire. Mais sans tapage, sans excès. C'est à nous et c'est nous. Sobre, solide, authentique. Deux renards en pierre en surveillent l'entrée. Après de longues années de locations et déménagements en tous genres, nous nous sommes posés là parce que ça sent la terre et le vrai. Maman y vit avec Camille, le « merveilleux » qui l'a épousée quand j'avais sept ans. Cette maison, c'est ma tanière, mon repaire d'ours, mon indispensable jardin discret pour ne pas oublier d'où je viens sur les routes où je vais.

Quelques secondes après mon atterrissage de nuit, j'ai poussé la porte de la cuisine. Elles étaient trois autour de la grande table en bois lourd. À cette heure-ci j'ai été étonné d'y trouver Maman. En bout, comme toujours. Patriarche. Elle grignotait à mi-bouche. Une petite faim de nuit. Elle avait l'air en forme. Et pourtant, que cette forme a changé en quelques mois ! De robuste à la Dubout, elle est devenue vieil arbre sec à la ramure incertaine. Les joues se sont vidées, les épaules ont presque disparu. Même le bleu des yeux est devenu charbon. D'un coup, elle est devenue un profil. Saillant. Sinueux. Rapace. Acéré. Seul un sourire l'adoucit, mais il est de plus en plus rare.

Isabelle était là. C'est une amie, une dévouée chronique, qui l'accompagne sans intérêt et sans autre motivation que la générosité et la compassion. À l'autre bout de la table : Pépée, la sœur aînée de Maman. L'index. Le deuxième doigt des cinq de la main qui symbolisent l'union sacrée des frangines. Cinq sœurs. Toutes vivantes. Et Maman, le doigt du milieu.

Majeure. Autant pour son importance que pour la provocation permanente que sa vie a été. Le doigt de l'insolence, de la liberté de dire et d'être, du plaisir, de la révolte.

J'ai fait celui qui débarque pour prendre quelques jours de repos. J'ai menti. Je ne suis pas venu pour me reposer. Je suis là pour la reposer, elle. On a papoté, plaisanté, parlé de tout et de rien. Mes émissions de télé, la crise financière. J'ai chahuté Maman sur son léger sarkozysme, un relent de son gaullisme forcené. Un moindre mal. Et puis, juste avant qu'elle parte se coucher à petits pas forcés, j'ai réussi à lui arracher un dernier sourire. Une vieille plaisanterie entre nous :

— Tu es forcément la femme de ma vie, puisque je suis le premier à être passé dans l'autre sens !

Isabelle a rougi. Et j'ai regardé partir la vieille dame cassée, les larmes au bord des yeux. J'ai dit « Maman je t'aime », sans le prononcer. C'est la première fois que je l'accepte vraiment, ce deuil sans deuil, cet inéluctable sans date. C'est une réelle torture. Un acide. Pas comme la mort accidentelle de mon petit, il y a dix-sept ans, brutale, coup de poignard. Là, la douleur est sournoise, mesquine. Et si les docteurs se trompaient ?

— Mais non, bien sûr que non, me murmure Pépée. Tu sais bien, mon petit.

Évidemment, je sais… Alors combien ? Une heure, deux jours, deux mois, trois ?

— On verra bien, murmurai-je, tête basse. En tout cas, je n'accepterai pas qu'elle souffre plus que le raisonnable.

Mais c'est quoi, le raisonnable ? C'est quand ? Jusqu'où ? Une chose est certaine, s'il faut être hors la loi, j'en serai l'acteur… Peut-être… Facile à dire, à écrire à ce moment-là. Pourvu que Dieu, qui n'existe peut-être pas, le décide à ma place. Il me doit bien ça. D'après Maman, j'ai été conçu dans son jardin. Enfin dans celui de son VRP, le curé de Juillac.

Juillac, c'est là où j'ai grandi. Un petit bourg de Corrèze à trente kilomètres de Brive. J'ai le souvenir d'un village tranquille : des maisons sages coiffées de toits en ardoises grises. Des petits commerces familiaux aux portes toujours entrouvertes. Des artisans confinés dans des réduits sombres. Le sabotier appliqué, que les enfants contemplaient des journées entières, fascinés par l'avalanche des copeaux qui jaillissait du bois sculpté. Le cordonnier boiteux dont l'échoppe empestait la colle. Le temps était figé. Les vieux sur les bancs aussi. Tellement transparents dans leurs vestes grises que quand l'un d'eux mourait, il ne manquait personne.

Pas d'événement sensationnel. Seuls un enterrement ou un mariage tenaient lieu d'exceptionnel. L'église était en plein centre et la maison de mes grands-parents n'en était éloignée que de quelques mètres. À un vol de prières. J'ai poussé là, entre un préau d'école, les rues en pente douce, les prés voisins, les bois et leurs ruisseaux. Les gens étaient les gens, ni meilleurs ni pires que dans n'importe quel autre village. Parfois avenants. Parfois hermétiques. La France à peine profonde. Entre deux eaux. À égale distance entre la vase et les nénuphars, les ragots et la bienveillance s'entremêlaient au gré des jalousies et des générosités sincères. Comme partout ailleurs.

Maman était la plus belle du département. Si, si ! C'est Domenech qui me l'a dit. Ce Domenech-là était star bien avant celui d'aujourd'hui. Un joueur de ballon aussi, mais ovale. C'était le plus célèbre des rugbymen des années soixante. Un personnage. Une légende. Fantasque, brillant, sur les terrains et dans la ville de Brive. N'a-t-il pas trimballé dans la sous-préfecture de la Corrèze la plus célèbre de ses innombrables conquêtes en décapotable pendant quinze jours ? La splendide Kim Novak, la Marylin bis du cinéma du moment... Amédée Domenech, cinquante et une fois international, politique, acteur, drôle, malin, roué. coureur invétéré, semant de-ci de-là des enfants comme un poucet égrillard.

Et c'est là que la première question de mon ascendance se pose : suis-je son fils ? Beaucoup l'ont dit. Beaucoup le croient. Maman a eu une relation avec lui, mais après moi, a-t-elle toujours affirmé. Lui était moins catégorique. C'est vrai que physiquement, il y a quelque chose. Beaucoup de choses. Son neveu gagne même sa vie en étant un de mes sosies officiels. Et puis cette faconde, ce goût pour l'artistique, je ne les tiens quand même pas du boucher du village. Et pourtant, c'est la version officielle. Celle de Maman. Je n'aurais jamais écrit cela avant. Mais aujourd'hui, Amédée est mort, le boucher aussi, et Maman ne lira pas ces mots.

Selon Maman, j'ai été conçu le 19 février 1953, dans le jardin du curé, donc. Henri était le boucher du village et son premier amour. Elle m'a raconté s'être donné le soir de son anniversaire, c'est pour cela que la date est précise. Elle

14

avait à peine dix-huit ans. Mes grands-parents, boulangers, avaient fait faillite pendant la guerre à force de trop de générosité avec les maquisards. Le don de soi n'est pas un hasard chez nous, il est atavique. La famille d'Henri était « honorable ». Du Pagnol dans le texte. Maman n'était pas assez bien pour eux. Il n'a rien voulu reconnaître. Elle m'a toujours dit que la famille lui avait dicté sa décision. Étrangement, elle ne lui en a jamais vraiment voulu.

— Tu n'en veux pas, c'est pas grave, je m'en occuperai toute seule !

Elle n'a même pas lutté. Et pourtant l'avenir s'annonçait plutôt sombre. Elle travaillait à l'usine, à Objat. Chaque jour, elle faisait vingt kilomètres en vélo pour aller soulever des caisses de pommes ou de noix. Par bonheur, le patron était un homme, un vrai. Humain, attentif. Il la forcera, quelques jours avant l'accouchement à partir « pondre » tranquille. C'est qu'elle voulait travailler jusqu'au bout, la diablesse ! Il aura aussi l'élégance de lui redonner du travail tout de suite après pour qu'elle puisse me nourrir. Il s'en foutait lui, de la fille mère honteuse comme elles l'étaient toutes à l'époque Ce ne fut hélas pas le cas de tout le monde.

Maman a accouché le 14 novembre 1953 à la maternité de Brive. Elle aurait dû me lâcher la veille. Mais la bonne sœur, sage-femme et infiniment salope de Dieu, lui expliqua qu'il fallait souffrir pour payer sa faute. Quelle faute, vieille peau ? Je peux t'insulter aujourd'hui, tu croupis sûrement au paradis des taupes, puisque l'autre n'existe sûrement pas. Il manquerait plus que ça. Que la méchanceté ordinaire soit récompensée d'une béatitude éternelle. De toute façon, même si le paradis existe, je ne l'aime pas… C'est trop tard !

Les filles mères, à l'époque, étaient mises à l'écart dans des chambres à part. On testait même des antiseptiques nouveaux et improbables uniquement sur elles. Autres temps, autres meurtres ! Voilà mon tableau de naissance, la première page de mon état civil. Tout ce qui fait que ma conscience est en bor état mais pas civile. Je ne m'en plains pas. De favelas en trottoirs du monde, il y a bien pire, mais bon !

C'est vrai que j'aurais tout aussi bien pu ne pas arriver du tout. Les faiseuses d'anges écumaient toutes les rases campagnes, l'aiguille à tricoter à la main, traquant le bâtard éventuel en échange de quelques anciens francs. Maman m'a avoué y avoir pensé. Juste pensé. Elle a bien sauté de quelques murets pour que je décroche, mais sans conviction. Le malvenu était finalement bienvenu. Elle savait qu'il y aurait la vindicte après, les insultes et la bagarre au quotidien pour élever le petit fœtus d'amour contre vents et marées. Elle s'y est résolue en guerrière. « Ce sera mon petit, mon combat, ma guerre aux cons. » Merci !

Reste le faiseur, le baiseur de fond. Le boucher ? Le rugbyman ? Un autre ? Plusieurs ? Pendant toute ma vie, ça a été le boucher. Au jour d'aujourd'hui, elle n'en a jamais démordu. Et je n'ai jamais tenté quelque analyse ADN que ce soit pour en avoir la certitude à son insu. Ça aurait été la trahir, et ma conscience ne m'en a jamais donné le droit.

Pourtant, physiquement, moralement, je lui ressemble si peu au boucher, et je ne te cache pas que je préférerais mille fois être le jus de l'autre, le rugbyman, la star. Il est parti il y a trois ans en emportant peut-être le secret. Le boucher l'a suivi de peu. Muet aussi. Il ne reste qu'elle. Je m'interdis de lui poser encore la question à laquelle elle m'a toujours fait la même réponse, parfois amusée, souvent agacée. Mais c'est un coup de poinçon de plus dans ma carapace du moment. Une question supplémentaire. Quand Maman va-t-elle partir ? Devrai-je décider de la date du départ ? Aura-t-elle la lucidité à la toute fin de sa vie de me donner sans l'ombre d'une contestation le nom de celui qui est responsable de la mienne ? Tous ces points d'interrogation me font portemanteau. Je me balance, accroché, ballant, perdu comme je ne l'ai jamais été.

Je suis seul dans la maison d'à côté. Maman dort à cinquante mètres. Pourvu qu'elle rêve beau, comme dans ses illusions de jeune fille.

— Mon bâtard, ce sera quelqu'un ! fanfaronnait-elle à toute la famille et aux « mépriseurs » de passage.

Je m'appelle Patrick Sébastien, né Boutot, le nom de jeune fille de Maman. Je suis célèbre, animateur télé, star de l'audience, animateur radio, chanteur à tubes, auteur, acteur, humoriste, imitateur, producteur, président d'un club de rugby ex-champion d'Europe, découvreur de talents. Je suis populaire, connu et reconnu. Bref, j'ai réussi, comme on dit. Certains me détestent, d'autres m'envient.

Ce n'est pas moi qui ai fait tout ça, c'est elle : Andrée Boutot. Femme majuscule, amie des artistes et des voyous. Tout le monde l'appelle « Dédée ». Moi aussi. Je ne l'ai jamais appelée Maman, sauf dans ce livre qu'elle ne lira pas.

Tant mieux, parce que même si elle sait que je l'aime, elle ne peut pas imaginer à quel point. Si elle le découvrait, elle souffrirait mille fois plus de me laisser.

Depuis trente-cinq ans, il ne s'est pas passé un jour sans que je l'appelle au téléphone.

— Tiens, ça va faire du bien à ton forfait ! me souffle le petit lutin farceur sur mon épaule.

Et il ajoute :

— J'ai peut-être dit une bêtise, tu veux que je m'en aille ?

Non, reste, petit lutin ! Je vais avoir diablement besoin de toi !

## MARTEL.
### *Nuit du 13 au 14 octobre 2008.*

La nuit est magnifique. La lune est pleine. Vingt degrés. Comme si l'été prolongeait sa douceur en palliatif. Comme si le temps attendait la fin pour qu'il pleuve. Pour que le ciel et moi, on pleure ensemble. Ça ressemble aux belles nuits d'avant, il y a vingt ans, avant l'accident du petit.

Je pense à Gérard Depardieu. Guillaume, son fils est mort cet après-midi à trente-sept ans. Chacun sa croix, mais à partir de la perte de l'enfant, il y a, en plus, la couronne d'épines. Maman ne s'est jamais remise de la disparition de Sébastien, son petit-fils. Je pourrais me consoler en me disant qu'elle va enfin le rejoindre, mais je sais bien qu'on ne rejoint personne là-haut. Et pour cause, ils sont là, près de nous à chaque instant. Ils nous nimbent de leur protection, de leur souffle. Comment je le sais ? Parce qu'en ce moment, ce sont eux qui me dictent. Toi aussi, tu les as ressentis ces moments suspendus où on devine la présence diffuse d'un « quelque chose » derrière l'épaule. Observe bien, surtout quand ça fait mal. Qu'est-ce que ça pourrait être sinon eux ?

Je ne crois pas au conglomérat des âmes quelque part là-haut au-dessus des nuages. Je crois à des pans de nos absents dématérialisés qui flottent tout près, en sentinelles, en escorte. C'est pour ça que j'adore être seul. Ils sont tellement nombreux à m'accompagner. Et surtout, il n'y a que ceux qui m'ont aimé vraiment. Les autres naviguent dans d'autres espaces, tout près de leurs aimés à eux. C'est pour cela que le bien fait aux autres est essentiel. Une fois qu'ils ont disparu, ils restent là, en plantons, en secours. Tu dois te dire que la peine me fait dire de bien étranges choses. Même sans chagrin, je l'ai toujours pensé. C'est un point de vue, une hypothèse. Elle en vaut bien d'autres. Et même si elle est infondée, elle rassure et c'est déjà ça.

Maman a mangé en bout de table ce soir. Péniblement. Son dos la faisait souffrir. Je l'ai sentie un peu plus absente qu'hier. J'ai passé la journée près d'elle à me composer une bonne humeur, à faire des efforts de fantaisiste. Un spectacle, un stand up. Ce soir, je suis fatigué, et Lily me manque. Ma princesse tahitienne a un an et elle est déjà ma plus belle autre histoire d'amour. Elle arrive au moment où l'autre part. C'est donc ça la vieillesse : la vie qui s'effiloche par les deux bouts. Pourvu que son enfance soit belle, puisque c'est elle qui décide de tout. En tout cas pour moi, malgré la bâtardise, la pauvreté et l'injustice, l'enfance fut mon plus beau cadeau.

Angèle n'était pas une grand-mère gâteau, c'était une grand-mère pinard. Le beau n'est pas forcément poétique ! Mais c'est le quotidien des petites gens. Dans le grand monde, on appelle ça l'éthylisme. Chez nous c'était de la cuite toute simple. Et ça n'empêchait pas une tendresse démesurée. Je n'ai jamais su si elle buvait pour se souvenir ou pour oublier. Ce que je sais, c'est qu'elle fut la plus merveilleuse des mamies.

Je garde d'elle une odeur d'eau de Cologne, une douceur de peau, un parfum de tartine, une couleur de cheveux, blanche, rassurante. Elle s'est occupée de moi jusqu'à ce que Maman rencontre Camille, le « merveilleux ». J'ai passé dans la petite maison de Juillac les plus belles années de ma vie. Protégé par cette grand-mère nounou, Maman, deux arrière-grands-mères de l'autre siècle et Annie, la petite dernière des cinq sœurs. Que des femmes pour un seul homme : Gabriel, le grand-père taiseux que tout le village surnommait « Jésus ». Je n'ai jamais su si c'était pour son métier de boulanger qui lui faisait multiplier les pains, ou pour sa carcasse osseuse et sa générosité naturelle. Mon inconscient a dû conserver de cet entourage presque exclusivement féminin toutes les sensibilités qui m'ont construit bien plus délicat et fragile que mon image de costaud brutal et primaire peut le laisser supposer.

J'ai poussé bien au chaud. Bâtard battu par quelques méchants certes, montré du doigt, certes aussi, mais tellement couvé de précautions et d'amour ordinaire. L'amour sans les mots et sans les câlins. Celui des campagnes d'alors. On ne se disait pas « je t'aime », et Maman n'avait même pas le droit de m'embrasser. Les arrière-grands-mères prétendaient que ce n'était pas bon pour les garçons. Que ça risquait de les empêcher de devenir de vrais hommes. Alors, elle le faisait en cachette, la nuit, quand la maison dormait. Et pourtant, il ne manquait rien à la vraie tendresse. Un cache-col, les jours de grand froid, des assiettes toujours pleines, la pudeur des êtres, la pudeur des sentiments. Une

21

réserve sans cris, sans excès de quoi que ce soit. « On ne se dispute pas devant les enfants »… « Tu iras sur les manèges, mais il faudra le mériter »… « Ne sois pas envieux de ce que tu n'as pas, tu ne dois te préoccuper que de ce que tu as »… « Va jouer à la rivière, mais ne prends pas de risques, je pourrais t'accompagner mais je ne le ferai pas, tu dois me montrer que j'ai raison d'avoir confiance en toi »… « La dépression c'est pour les riches, nous on n'a pas le temps, on travaille »… « Si tu n'aimes pas les autres, tu ne t'aimeras jamais, et il vaut mieux que tu sois copain avec toi »… « C'est à la fin de la foire qu'on compte les bouses »… « Une orange à Noël, c'est pas grand-chose, mais pense à ceux qui n'en ont pas »… « Même si tu ne pleures pas à l'enterrement, c'est pas grave, t'es pas obligé »…

Et puis les soirs d'hiver au bord de la cheminée à écouter des mots simples, des histoires de ferronniers ou de gardes champêtres. C'était le tambour qui annonçait les nouvelles dans la rue. Et puis les ricochets dans l'eau, l'odeur d'amande du pot de colle, la craie dans l'encrier, la plume sergent-major, le cartable neuf, le dancing du 14 Juillet, la fanfare, les bateaux en allumettes, les vélos de femme, le raisin foulé aux pieds, la batteuse, les communions, les mariages…

Tout ça c'était des partages, tout ça c'était des « je t'aime », alors les mots, hein !

Pendant ce temps Maman travaillait à la ville. Serveuse de bistrot, ouvrière d'usine, fille de ménage chez des malpolis qui lui touchaient les fesses. Pensez donc ! Dix-huit ans, belle comme le jour, et un gosse de personne, ça doit se coucher plus vite que ça se relève ! Bons Français, bons chrétiens et la morale en pare-feu. Quand, bien plus tard, Maman a fréquenté les voyous, les vrais, pas un ne lui a manqué de respect. Tu comprends mieux pourquoi je les aime, les sans-loi, les paumés, les différents. Et la guitare gitane autour de mon cou, elle vaut pas dix crucifix ?

Et puis elle est tombée amoureuse de Bébé. Elle doit l'être sûrement encore un peu, *in memoriam*, tant on continue à aimer ce qu'on a aimé trop fort. Bébé, ce n'était pas un surnom intime. Tous les copains l'appelaient comme ça. Et tu sais quoi ? Il n'était même pas beau. En tout cas dehors. Pire même, il était affublé d'un pied-bot. Tu imagines, la belle des belles avec le plus bancal ! De plus, elle le volait en douce à une grenouille de bénitier aussi sombre et froide qu'un jeudi de novembre. Hélas, c'est là que pour la première fois, Maman passa dans les journaux de la page « Recherche d'emploi » à celle d'après : « Faits divers ».

Le film s'appelait *En cas de malheur*. Gabin, avocat, tombait amoureux de Bardot l'écervelée. Un amour torride, particulièrement osé pour l'époque puisque ça se finissait à trois sous la couette. Mais Bardot la perfide se moquait d'un Gabin fou d'amour. Du grand mélo.

Maman et Bébé étaient entrés dans le cinéma en amoureux, ils en ressortirent en amants terribles. Bébé se transforma en jaloux violent. Plus encore : après une heure de reproches crachés, il gara la voiture en bordure d'un chemin de campagne et se mit à la frapper avec une sauvagerie inouïe. Il la sortit de force de l'auto et la jeta dans un fossé plein d'eau où, après l'avoir assommée à coups de marteau il l'étrangla en la noyant. Puis il s'enfuit, en la laissant agoniser. Elle ne dut son salut qu'au hasard : un passant qui entendit les gémissements et la secourut. À l'arrivée des gendarmes, ce qu'elle leur déclara les stupéfia :

— Allez vite chez lui, je suis sûre qu'il est en train de faire une bêtise. Il a fait ça par amour, s'il vous plaît sauvez-le-moi !

Effectivement, il avait ouvert le gaz et les gendarmes le sauvèrent de justesse.

Le procès eut lieu quelques mois plus tard. Tentative de meurtre. Chose assez rare, la victime fut le meilleur avocat du coupable. Elle jura que c'était elle qui l'avait poussé à bout, qu'il ne voulait pas lui faire de mal, ce qui était totalement faux. Le juge décida que le coupable ne serait condamné qu'à du sursis, mais qu'il avait obligation de quitter la région immédiatement.

Bébé, escorté de gendarmes, monta en gare de Brive dans le train de minuit. Au bout de deux cents mètres, il sauta sur les voies. Un quart d'heure plus tard, il passait la porte de l'hôtel Terminus pour rejoindre la chambre 5 où Maman l'attendait... Pour une nuit d'amour torride ? Je ne pense pas. Une nuit d'amour seulement. Maman me l'a avoué depuis. Même si elle s'est donnée à beaucoup d'hommes, elle n'a jamais vraiment aimé « la chose », comme elle dit pudiquement. Pourquoi alors, ces coucheries de hasard ?

— Pour avoir quelqu'un. Une épaule... Quelqu'un, quoi !

Et elles sont si nombreuses, ces belles d'ennui. Les plus fortes et les plus fragiles à la fois. Contemplant des ciels de lit sans « arcs-en... », comme ça, pour faire plaisir plus que pour en avoir. Je me souviendrai toujours de ce soir de confidences où elle me lâcha à propos du boucher du village qui ne la possédait qu'au détour d'un jardin, d'une banquette d'auto ou d'un coin de porte :

– Je l'aimais, tu sais... Finalement, je ne lui en veux pas de ne pas t'avoir reconnu. Ça nous a rendus plus forts. Non, mon seul regret est que nous n'ayons jamais fait l'amour dans un lit !

C'était ça, Maman. Elle n'a rien inventé, rien découvert, rien chanté, rien joué. Ni star, ni aventurière, ni chercheuse. Une de ces anonymes exceptionnelles dont les blessures et les passions tiennent lieu de seul *curriculum vitæ*. Ma star à moi, sans les ors, les clameurs et les faux-semblants. Et surtout une vie de femme pleine, violente, romanesque, avec une seule devise :

– Pourvu que mes petits aillent bien !

Je vais bien, Maman, je vais bien...

Il est quatre heures et la nuit est toujours belle. Écrire ces bouts d'enfance m'a fait du bien. Pendant tout ce temps j'ai voyagé, j'ai oublié... J'ai envie d'aller lui parler. Je vais prétexter n'importe quoi pour la réveiller, profiter d'elle encore et encore.

Attends-moi, je reviens.

Elle ne dormait pas. La seule lumière de la télé diffusant une ineptie de nuit éclairait la chambre. Son profil allongé était encore plus « aigle ». Je me suis assis quelques instants et j'ai dit quelques banalités avec précaution.

Est-ce qu'elle sait ? Est-ce qu'elle sent ? Je crains que oui. J'ai de plus en plus de mal à dissimuler mon mal-être. Je suis parti avant de me trahir. Je me sens si vulnérable, si petit. Mon miroir me renvoie l'image d'un vieux de presque cinquante-cinq ans. Mon cœur en a huit. Depuis jeudi, je ne suis plus ce que je suis. Qu'est-ce que je peux me foutre de Patrick Sébastien, son cabaret, sa nouvelle chanson, ses parts de marché, ses maisons, ses voitures, son confort acquis à la force du poignet ! Je suis seulement plein d'elle, comme si c'était moi qui la portais. Chacun son tour. Comme si j'allais accoucher de sa mort. Je n'ai plus envie d'écrire. J'ai envie de chialer. Tu me diras que l'un n'empêche pas l'autre, mais je déteste pleurer en public. Allez salut !

Non, pas tout de suite… Encore un crochet par le Juillac de mon enfance avant de dormir. C'était un soir de 14 Juillet. Je regardais le feu d'artifice à trois poteaux où après deux ou trois belles vertes, les girandoles tournoyaient. La journée avait été magnifique. Au concours de pêche du matin, c'est moi qui avais attrapé le plus de poissons. Six exactement, je m'en souviens comme si c'était il y a quarante-cinq ans. Fier et bien plus que ça parce que j'avais la place 55 et qu'à la place 53, le deuxième du concours n'en avait péché que quatre. Il s'appelait Henri, le 53, c'était le boucher du village. À la fin, pendant que je triomphais, il avait eu juste un sourire pour moi. Pas un mot. Juste un sourire, c'était déjà ça !

Ce soir-là, j'avais l'impression que le feu d'artifice était tiré pour moi, rien que pour moi. Soudain des bras m'empoignèrent et m'éloignèrent fermement de la petite foule, les yeux au ciel. Une main sur la bouche m'empêcha de crier. Quelques secondes plus tard j'étais balancé dans un local municipal désaffecté.

Ils étaient six ou sept, je ne me souviens plus bien, c'était il y a quarante-cinq ans. On a la mémoire qu'on veut. Comme je me débattais, ils m'ont attaché à une chaise en osier éventrée avec de vieux pneus de vélo.

— C'est pas la peine de crier, personne viendra ! me lança le plus grand des grands.

J'aurais pu, mais j'ai préféré serrer les dents. À tour de rôle, ils m'ont mis des gifles. Pas très fortes au début et puis des coups de poing sur la tête. Un jeu. Un jeu de cons, mais un jeu.

— Tu es le prisonnier, si tu nous dénonces la prochaine fois c'est la tête sous l'eau… On est la Gestapo.

Un jeu de cons, je te dis ! Même pas méchant. Une amusette en souvenir d'une guerre pas si lointaine.

— Vas-y, pleure. On tape tant que tu pleures pas.

Je n'ai pas pleuré. Un bruit de voiture proche les a fait disparaître comme une volée de moineaux. Avant de partir, le plus petit des grands m'a lancé : « Va te plaindre à ton père, t'en as pas ! »

Je n'ai rien dit à Maman en rentrant. Comme elle me sentait triste, elle m'a quand même demandé :

— Ça va pas ?

J'ai murmuré à mi-voix :

— J'aimerais bien avoir un père, comme tout le monde.

— Mais tu en as un, m'a-t-elle dit avec un sourire forcé.

— Qui ?

— Moi.

Dès le lendemain, j'ai retrouvé les grands qui m'ont accueilli comme s'il ne s'était rien passé. Comme ils m'ont autorisé à jouer au foot avec eux, j'ai juste dit : « Merci. » Le statut de victime est une question d'habitude, et j'avoue qu'aujourd'hui, en souvenir de ce temps-là, j'en rajoute parfois un peu. Mais bon, il n'y a que toi et moi au courant, ça sortira pas d'ici.

Parfois Maman me surprenait à maugréer :

— Un jour, je me vengerai.

— Te venger de quoi ?

— De tout.

— Tu sais, la vengeance ne fait de mal qu'à celui qui la nourrit. Laisse faire le temps, il se venge tout seul.

J'ai revu, il y a dix ans, le plus grand des grands de ce soir de 14 Juillet. Il m'arrivait à peine à l'épaule. Il m'est tombé dans les bras.

— Tu te souviens comme on s'est marré. T'as quand même pas oublié, maintenant que tu es connu !

Mais non, je n'ai pas oublié. Il m'a raconté que lui aussi avait perdu un fils. Le temps se venge alors, vraiment ? Mais pour mon fils à moi, il s'est vengé de quoi ? Il faut que je cherche. À moins que le temps ne se venge de rien. Il passe, c'est tout. Vite. Beaucoup trop vite. La vieille dame que j'ai vue dans la pénombre de sa chambre devant l'ineptie télévisuelle, c'est bien la même qui dansait au bal du 14 Juillet en 1963 en robe à pois, splendide, aérienne ?

Oui, c'est bien elle.

Danse maman, danse… J'ai dix ans… Je m'en fous de reprendre des coups sur la tête, mais danse, s'il te plaît, danse… Danse…

## MARTEL.
### Nuit du 14 au 15 octobre 2008.

Vers quatorze heures, cet après-midi, le temps s'est assombri et il a plu. Maman s'est affaiblie d'un coup. Et puis le soleil est revenu. Elle allait mieux. Puisque je te dis que le temps l'attend ! Elle n'a pas quitté son lit de la journée. Une infirmière, Stéphanie, lui fait des perfusions régulières d'antidouleur. Nous avons eu une longue conversation avec elle et Isabelle. À la fin, nous étions d'accord sur le fait qu'au prochain coma, il ne fallait pas qu'elle en revienne, puisque de toute façon, les médecins sont formels, il n'y a même pas un millième de millième d'espoir de mieux. Que du pire !

Maman, depuis le début de sa maladie, fait des comas hépatiques de plus en plus fréquents. Ils durent un jour ou deux, puis elle revient doucement, et en quelques heures elle est de nouveau « normale ».

Nous avons parlé sans gravité du choix ultime. Sans solennité. Nous avons évoqué cette libération éventuelle avec presque des sourires. L'idée de la soulager est bien plus forte que la pression d'un meurtre prémédité. Le mot est fort, mais quoi qu'il en soit ça en reste un. Et je sais que je suis prêt à en assumer la décision et toutes les conséquences, même si elles devaient être judiciaires. Je me suis déjà renseigné sur les produits adéquats, et je tiens à décharger totalement le médecin de famille de ce choix, que non seulement j'assume, mais que je revendique.

J'ai aussi l'intention de l'écrire et de le faire savoir. Dont acte, dans ce livre. Ma médiatisation permettra peut-être de mettre un peu plus au grand jour une pratique tout à fait courante que les législateurs peinent à officialiser vraiment. Bien entendu, les « anti » me répondront d'abord que la vie est sacrée, et ensuite, que l'on s'expose à tous les abus. Deux points pour eux indiscutables et donc, de fait, pas négociables.

Pour ce qui est du premier point, la seule décision de Dieu, je laisse ça aux égreneurs de chapelets et aux lécheurs d'icônes en tout genre. Je suis agnostique, c'est mon choix, et en parfait anticlérical primaire je tiens à laisser Dieu, s'il existe, en dehors de tout ça. Il a tant d'autres choses à faire : la gestion de son site, Vatican.com, sa promo, son image. Qu'il continue à se repaître du spectacle de tous les agenouillés du monde devant son immense gloire.

En ce qui concerne le deuxième point qui hérisse les anti-euthanasie (les abus prévisibles), il me semble que de parfaits législateurs pourraient très bien encadrer ce schéma en limitant les risques au maximum. Quand je vois, aujourd'hui, avec quelle précision, quelle rapidité, quelle dextérité, ils sont en train de juguler la crise de l'argent, je me dis qu'il leur faudrait mille fois moins d'efforts pour résoudre ce problème vital, et hélas si fréquent, de la mort utile. Je crains malheureusement que pour eux l'action soit bien plus importante que l'onction, si extrême soit-elle. Je crains surtout que ce manque d'empressement tienne plus du premier point que du second.

La « bondieuserie », même en rupture de part de marché, a encore de beaux jours devant elle, et des bras vengeurs. Ceux de tout là-haut, dans les sphères obscures du pouvoir. Ces puissants de l'ombre qui, quel que soit le bord des politiques en place, demeurent et décident réellement. Je t'apprends quelque chose ? Ah, bon ! Tout compte fait, c'est normal : ce qui n'a pas sa photo dans *Télé 7 jours* n'est que délire subversif, c'est bien connu ! J'en souris, et je sais bien qu'il est banalement primaire l'aphorisme qui suit, mais, si la vie des pauvres quidams leur tenait tant à cœur, ne crois-tu pas qu'ils la leur pourriraient bien moins ? Et puis tiens, disons-le vraiment : ces barbares déguisés en démocrates euthanasient chaque jour des chômeurs en fin de droits, des clodos à la dérive, des handicapés insuffisamment équipés. Ils pendent des taulards aux barreaux de leur cellule, ils défenestrent des ouvriers délocalisés, ils empoisonnent des pauvres aux sous-produits de supermarché gavés de produits nocifs pour le seul profit de leurs patrons amis… Alors le sacré de la vie, non merci !

Heureusement que Maman ne lira pas ça. Elle déteste quand je blasphème. Tant pis pour sa vie éternelle, mais je ne recommanderai pas son âme à Dieu, il ne la mérite pas ! On passera quand même par l'église, c'est son souhait. Et puis il y aura des guitares… Et puis il y aura des gitans. Il y aura de toute façon bien trop de monde. Il y aura… Il y aura… Stop ! C'est pas loin mais c'est pas l'heure… Allez Patrick, écris plutôt : il y avait.

Il y avait… Il y avait… Il y avait peu de monde au mariage de Maman avec Camille, le « merveilleux », en 1960. Ma grand-mère avait interdit que j'y assiste. Ça ne se faisait pas. Maman était enceinte de mon frère Michel, ma sœur Françoise suivrait trois ans plus tard. T'as vu, j'ai pas dit « demi-frère » et « demi-sœur ». Maman était telle-ment entière et généreuse que chez nous, même un demi ça fait un plein.

Je suis allé vivre avec eux. C'est Camille qui m'a élevé, dressé. C'est un homme bon, un rural, né dans la Dordogne profonde, buriné par les travaux aux champs, les soues et les étables. Il a été boucher, routier, maquignon. Il a tenté d'être mon dompteur, mais étais-je domptable ? Mes bonnes études commençaient à me donner le verbe, le raisonne-ment et nous nous heurtions souvent. Lui cloisonné dans ses principes d'un autre siècle et moi en avance sur le mien. Il me parlait droit quand je pensais de travers. Alors je faisais l'insolent, sans jamais baisser les yeux avec toute la stupidité arrogante de mon abus de différence :

– De toute façon, t es pas mon père !

Et vlan ! La réponse en phalanges. La tarte, la claque, la torgnole. Si ça ne suffisait pas, c'était la menace du martinet. Une promesse de châtiment dont j'ai rapidemment compris qu'elle n'était que dissuasive. L'expression de son autorité avait des limites, que sa nature profonde de brave homme lui empêchait de franchir. Donc en extrême punition, il ne lui restait que l'enfermement dans la cave, au noir, pendant des heures, jusqu'à ce que je ne hurle plus.

34

Je racontais récemment ces châtiments à une quelconque de mon monde du show-bizz. Elle a bondi.

– Mais c'est affreux, quel traumatisme pour un enfant !

Bécasse, va ! C'est sûr qu'aujourd'hui, il aurait de l'analyse, du psy en veux-tu en voilà, voire de la plainte au commissariat en bonne et due forme.

Bécasse, je redis !

– C'était de l'amour.

– De l'amour, bêla-t-elle, comme si j'avais dit un gros mot.

Bien sûr que c'était de l'amour. Des sévices ? Non, des services. Qu'est-ce qu'ils m'ont fait du bien, ces coups de pied au cul que, bien entendu, en adulte responsable non traumatisant, je suis incapable d'infliger à mes propres enfants. Grâce à eux, je suis resté rebelle, révolté, insoumis et je suis devenu intègre, travailleur, généreux et respectueux. Paradoxal ? Absolument pas. Ça s'appelle l'éducation. Tant qu'elle est pleine d'amour, cette sévérité de dompteur est utile, n'en déplaise aux pédopsychiatres. Je suis bien incapable de l'appliquer moi-même, mais crois-moi, elle m'a fait mille fois plus de bien que de mal.

Maman, évidemment, se mettait toujours de mon côté. Et ça dégénérait en disputes de couple. Des disputes de vieux pour moi. Ils n'avaient que vingt-cinq ans. Et maman hurlait, argumentait. Et ça finissait toujours pareil, comme chez toi. De mon lit, j'entendais le ton baisser de plus en plus, les insultes s'espacer, s'adoucir et après un long silence il y avait les soupirs et le matelas grinçait.

À vingt-cinq ans, Maman était encore plus belle, désirable, gaie. A-t-elle eu des amants ? En a-t-elle eu beaucoup ? Sans relâche pendant toute sa vie ? Même si je le savais, j'ai trop de respect pour Camille pour te le dévoiler là. Je te laisse imaginer. Peut-être le seul mensonge par omission de ce récit. L'impasse obligatoire.

Aujourd'hui, Maman et Camille ont presque cinquante ans d'amour. Ce n'est pas trahir un secret que de dire qu'ils ne se touchent plus depuis des dizaines d'années, et que chacun a sûrement dû trouver l'autre plaisir ailleurs. Leur amour n'est pas de draps, il est bien plus fort et bien plus fin à la fois. Depuis quelques jours, Camille et moi croisons nos détresses dans la maison de Martel. Elles n'ont pas la même forme, mais elles ont la même force. Quand je suis au bord des larmes, je suis aussi au bord des siennes. Ce sera donc lui le survivant des deux. Et ce n'est pas le pire qui puisse lui arriver à elle.

J'ai toujours été fasciné par cet amour non dit. Par cette étrange cohabitation d'un serein et d'une furie, d'un bienveillant et d'une effrontée. Chacun y a toujours trouvé son conte : il était une fois eux deux. En comptant les autres, mais eux deux seulement. On peut s'aimer tout près en se vivant loin. On peut se trouver mieux ici même en cherchant ailleurs. Va savoir même, si ça ne serait pas ça l'amour absolu ?

De 1960 à 1965, nous avons déménagé sans cesse. Tulle, Tulle, Argentat, Brive, Brive, Brive. Des appartements minuscules parce que la paie l'était aussi. Mais rien de dramatique. La pauvreté ordinaire. Pas la misère, la pauvreté ! Ça doit faire 500 francs d'écart à l'époque. Pas de quoi se plaindre. On vit bien mieux dans l'espoir d'avoir plus que ce qu'on possède que dans la peur de le perdre. Sans compter les hasards heureux. Une cloison trop fine par exemple : celle de l'appartement d'Argentat.

Nous n'avions pas la télé. Pas assez de moyens. Priorité à la nourriture. Évident, mais peut-être pas tant que ça aujourd'hui, quand j'en vois tant gratter sur la gamelle des gosses au profit du DVD et d'internet. Cette télé, dont nous nous passions fort bien, le voisin, lui l'avait. Et tous les mercredis soir, en cachette, je collais mon oreille à la cloison aux premières notes du générique de *La piste aux étoiles*.

Écouter du cirque, tu l'imagines la frustration ! C'est une des premières fois où j'ai vu Maman pleurer pour moi. Elle m'a pris doucement dans ses bras, m'a serré fort. Elle a dû me dire « je t'aime », mais je n'ai pas entendu, Roger Lanzac parlait plus fort. Et le mercredi suivant, la télévision entrait dans ma vie. Je ne soupçonnais pas qu'en fait, c'était l'inverse : c'était ma vie qui entrait dans la télévision !

Aujourd'hui *La piste aux étoiles*, c'est moi qui la fais. Ça s'appelle *Le plus grand cabaret du monde*. Grâce à TV5, l'émission fait rêver le monde entier. Les clowns, les acrobates, les magiciens, ce n'est pas moi, encore une fois c'est elle. Elle, Maman qui est en train de s'éteindre à côté. Comme une fin de spectacle, comme un dernier tour de piste… Dis maman, tu te souviens quand tu m'as amené à mon premier cirque sur la place du village à Juillac ? Tu te souviens de Pinder, d'Amar, de Sampion Bouglione, ton ami ?… Tu te souviens, Maman ? Le clown est triste ce soir. Normal, c'est un clown. Allez-y, envoyez-moi du Nino Rota, faites jouer Gelsomina ! La campagne autour de moi est incroyablement silencieuse et pourtant je l'entends la musique. Sous sa fenêtre, pour elle, rien que pour elle.

Cet après-midi, au moment où j'allais quitter sa chambre, elle m'a fait un sourire d'avant, un vrai, apaisé.

— Ça va aller ? m'a-t-elle demandé.

— Bien sûr, ai-je répondu en accompagnant mon sourire menti d'un vrai clin d'œil.

Elle m'a rendu le clin d'œil. Je suis persuadé qu'elle sent que c'est pour bientôt. Je suis persuadé qu'elle aussi, elle joue. Comme moi. Qu'on se ment pour se rassurer l'un l'autre.

Elle ne pèse plus que cinquante kilos.

— C'est le poids que je pesais quand j'étais enceinte de toi, m'a-t-elle glissé, l'œil rieur.

Les épanchements qui ont déformé son ventre lui donnent la même rondeur qu'une grossesse. Ainsi donc, la maladie l'a faite copie conforme du « juste avant moi ». Je ne crois pas au hasard. Elle m'a toujours porté. Elle m'emportera avec elle. L'autre moi, celui qui va rester, ne sera qu'un prête-nom, en attendant de la suivre.

Ne crains rien Lily, je prendrai tout le temps qu'il te faudra.

Le jour ne va pas tarder à se lever… Le dernier ?

## MARTEL.
### *Nuit du 15 au 16 octobre 2008.*

« Ça va te faire du bien d'écrire ! », m'ont-ils tous dit. Ce n'est pas vrai. Chaque ligne me cloue. Alors pourquoi continuer ? Pour me punir peut-être. De ne pas l'avoir assez embrassée, de ne pas avoir été assez présent. Et pourtant, j'ai donné tout l'amour que je pouvais. Mais trop n'est jamais assez, tous les amoureux le savent.

Oui, c'est une histoire d'amour. Oui, nous sommes un couple. Il n'y a que l'écart d'un lit avec les amours tradition-nelles. Oui, c'est fusionnel, animal. De la louve à son petit. Il y eut bien de grands éclats de voix, des reproches murmu-rés ou hurlés, mais jamais, à aucun moment, le cordon ne s'est effrité d'un moindre millimètre. Ce n'est même pas œdipien. Elle aurait été homme, cela n'aurait rien changé. C'est une alchimie d'être humain à être humain. C'est pour ça que, même si la douleur brûle mes doigts à chaque mot tapé sur le clavier, je continuerai à nous écrire.

« Si j'avais su que je l'aimais autant, je l'aurais aimée davan-tage », écrivait Dard, mon Frédéric, mon autre père, celui des mots et du cœur. Parti lui aussi, comme Sébastien mon fils,

Olivier mon frère et demi, Mick, Jeannot, Paul, Carlos… Et tant d'autres. Tout se « déforeste ». Mes arbres tombent un à un. Et bientôt le chêne royal, le plus beau de ma forêt. Il va me rester quoi ? Quelques oliviers, quelques arbres fruitiers gorgés de sucre doux : mes enfants, ma femme, la famille, quelques vrais amis clairsemés. Et puis quoi encore ? Des ronces, des broussailles, les fourrés du show-bizz si propices aux guets-apens. Si les branches tombent une à une, où iront se poser les oiseaux ?…

Hasard ? Étonnante coïncidence ? Au moment où j'écrivais ces mots, un bruit m'a fait sursauter. Une présence, quelque part dans la pièce. J'étais sur le point de me lever pour vérifier que la porte est bien fermée, que personne n'est entré à mon insu, et il s'est posé devant moi, sur le meuble haut. Un oiseau ! Jaune et vert. Même pas apeuré. Il est encore là. J'ai ouvert la baie vitrée pour qu'il s'échappe, il passe devant sans la voir. Évidemment, mon état du moment me renvoie à l'irréel, au mystique. Je cherche la symbolique. C'est quoi le message ? C'est qui ? Maman déjà, en acompte ? Mais non, bien sûr, c'est juste une curiosité, un aimable incident. Il a dû entrer cet après-midi pendant qu'on aérait et il ne sait plus comment sortir. N'empêche, en trente ans de cette campagne-là, pas un oiseau n'est venu, la nuit voleter sous mon nez dans la maison.

C'est vrai que, dans chaque désespoir comme celui qui me remplit aujourd'hui, chaque signe, chaque souffle de vent soudain, chaque craquement devient prémonition. Tout semble vouloir dire quelque chose. Chaque ombre devient signal de départ et chaque lueur, prétexte à espoir. Hélas, les sciences exactes ramènent toujours à la réalité abrupte.

J'ai parlé longuement avec le bon médecin de famille. Bien sûr qu'il n'y a plus rien à faire. Il le sait bien. C'est son lot quotidien. Il les connaît par cœur, les mots qu'il faut dire. Ma litanie, il l'a entendue cent fois. Mon exceptionnel, c'est son ordinaire. Je l'ai entraîné dans la pénombre pour ne pas lire ses yeux, et on a parlé d'homme à homme. Quand je lui ai dit qu'en aucun cas je n'accepterais une douleur superflue et qu'au prochain coma je prendrais la responsabilité de la fin, il ne m'y a pas encouragé. Mais il n'a rien dit pour m'en dissuader. Son silence était bien plus éloquent qu'une plaidoirie. Ça se passera donc ainsi, à moins que le cœur de Maman en décide autrement.

— Mais le cœur est si solide, m'a-t-il dit presque admiratif, et puis quel caractère, j'ai rarement vu une femme avec une abnégation pareille.

C'est vrai que Maman n'a jamais rien montré de ses souffrances. Et depuis toujours. Et Dieu sait si son corps a été laminé. Des fausses couches, des grossesses extra-utérines, des éventrations, des opérations multiples. Avec, en bonus, une allergie à l'aspirine, à la pénicilline, à la morphine, enfin tout ce qui peut soulager vraiment, sous peine d'étouffement et de fin inéluctable.

Et pourtant, ça fait des années qu'elle sourit, qu'elle ne se plaint jamais, qu'elle maquille chacun des multiples coups de poignard à son corps pour qu'on ne s'inquiète pas. Je sais que je n'aurais jamais le centième de son courage physique, de sa force mentale. Depuis deux ans que la maladie s'est emballée, elle va de lit en lit, d'ambulance en hôpital, et à chaque réveil, elle me pose toujours la même question :

— Tu vas bien, t'es sûr ?

Une vraie mère avec un grand M… C'est pour ça que je l'M.

Elles sont tant à ne pas le mériter, ce nom de mère. Les amitiés buissonnières de Maman ont prouvé qu'elle acceptait et comprenait bien des dérives, bien des travers. Elle n'est intransigeante que sur un sujet : pour une mère, rien ne doit passer avant ses enfants. Rien. Elle vomit les abandonneuses, les faiseuses d'otages pour pensions alimentaires, les démissionnaires, les maltraitantes. Aurait-elle eu à choisir un jour entre le plus bel amour de sa vie et ses petits qu'elle n'aurait pas pris la fuite, rien que pour nous. J'ai bien dit « aurait-elle eu »… je te laisse imaginer si cela s'est présenté vraiment. Il y a des jardins secrets dont on peut montrer la clé, sans qu'elle serve forcément à en ouvrir la porte.

À partir de 1965, nous sommes tous partis vivre à Brive. C'est là qu'est vraiment née « la Dédée ». Un personnage. Une légende locale pour son énergie, sa liberté de vie, son bon cœur. Je me demande d'ailleurs si pour certains Brivistes je ne suis pas plus, encore aujourd'hui « le fils de la Dédée », qu'elle n'est la mère de Patrick Sébastien.

De 1965 à 1972, elle a touché à tout : contrats d'assurances, démarchage, services à tout va, et même collage d'affiche pour un petit jeune qui débutait en haute politique, mais qu'elle connaissait depuis bien longtemps : Chirac.

Avec une admiration éternelle et réciproque au point que chaque première question de mes nombreuses rencontres depuis avec l'ex-président des Français, a immanquablement été : « Comment va Dédée ? » J'en ai même émis quelques doutes au point de demander à Maman :

— C'est pas lui mon père ?

— Non, m'a-t-elle répondu, avec un sourire coquin.

Et elle s'est empressée d'ajouter :

— Mais j'aurais bien aimé, il était bien beau Jacques.

Il manquerait plus que ça, tiens ! Ne rêvons pas. Surtout que ça m'ennuierait fortement de donner du grain à moudre à ces rapaces des journaux à ragots. Parenthèse : en cas de malheur probable dans les jours qui viennent, faut surtout pas qu'ils viennent planter leurs flashes dans mes larmes ! Quitte à finir devant les juges, y'aura du sang sur les chrysanthèmes. À bon entendeur, salauds !

Parenthèse fermée. Ou presque. Ce n'est pas de la haine gratuite ni un mépris de la liberté de la presse, c'est juste pas le lieu ni le moment. Paparazzez mes histoires de cul si vous le souhaitez, à moi de ne pas me faire prendre, mais laissez-moi peinard avec mes désespoirs !

Fin réelle de la parenthèse.

À propos d'histoires de fesses, je dois avouer qu'entre Maman et moi il y a toujours eu une extrême pudeur concernant les siennes, et une merveilleuse complicité au sujet des miennes. Que les scabreux ne se réjouissent pas trop vite, je n'ai jamais évoqué avec elle, le moindre détail de mes comportements au lit. Par contre, elle a tout su de mes conquêtes, de mes infidélités, de mes éblouissements.

Elle a été celle vers qui je me suis précipité quelques minutes après ma première fois. C'était à Marseillan plage. J'avais treize ans et demi. On y partait en vacances début septembre, parce que les locations étaient bien moins chères. J'ai fait l'amour pour la première fois dans les dunes. C'était aussi les débuts de mon amoureuse. Il fallait que la première à qui je confie ma fierté soit Maman. Je n'ai même pas eu besoin d'avouer. Elle m'a lu au premier regard.

— Alors c'était bien ? m'a-t-elle demandé, heureuse de me voir heureux.

— Ah oui alors !

— Et elle ?

— Ben… Je sais pas… Oui, sûrement.

— Il vaudrait mieux. Tu sais, mon petit, la première fois pour une femme c'est capital. Si c'est raté ça détermine toute la suite, si c'est réussi aussi.

— Et toi ?

— Moi, c'était pas terrible.

Voilà. Maman, amie, confidente. En avance sur son époque, on n'était qu'en 1967. Pas permissive, juste bienveillante. Je n'avais fait de mal à personne puisque j'avais sûrement fait du bien. Et la morale alors ? Rappelle-toi de nos débuts… Alors la morale, hein !

Dans les années qui suivirent, elle me fit même le plus beau cadeau qu'on puisse faire à un ado boutonneux : m'arranger le coup avec ses copines les plus généreuses. Des bombes de sous-préfecture, serviables et pas regardantes sur l'âge du bambin érectile. Que des gentilles ! Des éducatrices spécialisées. Évidemment la bourgeoisie espionne s'en offusquait à mots couverts.

— Ça ne nous étonne pas d'elle, quelle éducation !

En fait d'éducation, entre ces cadeaux au corps, Maman continuait à me marteler l'intégrité, la franchise, la valeur du travail et le respect des plus faibles que moi. T'as raison : quelle éducation !

Encore petit, Maman m'avait déjà mis au travail pendant toutes les vacances scolaires. Ce n'était pas une punition, j'étais un excellent élève. Ce n'était pas pour faire bouillir la marmite non plus. C'était pour m'apprendre l'effort, le vrai. Tout ce qui fait qu'aujourd'hui, je passe pour un gros bosseur pour ce que j'appelle moi des loisirs rémunérés. Parce que, le vrai travail, c'est ce que j'ai fait à l'époque pour des salaires plus que dérisoires. Le premier job, c'était limonadier. Quinze francs (environ cent cinquante euros) pour deux mois de boulot, dix heures par jour à porter toute la journée des caisses de bouteilles et des sacs de charbon avec ma petite carcasse de douze ans. Avec l'argent, j'ai fait un cadeau à Maman. Dérisoire. Mon plus beau cadeau, c'est elle qui me l'a fait. Ce courage qu'elle m'a imposé là, c'est tout ce que je suis aujourd'hui. C'est grâce à ce courage physique que je dure depuis trente ans dans mon métier.

J'ai fait bien d'autres vrais boulots, en plus des études, avant d'entrer dans ma vie d'après : déménageur, massicotier, peintre en bâtiments et j'en passe. Maman ne m'a jamais rien imposé, elle m'a juste suggéré. Et comment voulais-tu que je rechigne ? Elle avait sué sang et eau en me portant dans son ventre jusqu'au dernier jour pour que je puisse avoir un biberon plein. Va ramasser des fraises et faire des vendanges, enceinte de sept mois, dix heures par jour, et après tu me diras !

Mes années d'adolescence ont donc coulé au rythme du travail et du plaisir. J'étudiais bien, le rugby musclait ma vie, je basculais les filles. Et ce qui devait arriver arriva, mais bien plus tôt que prévu et la bonne morale bourgeoise allait encore avoir de quoi ragoter.

— Maman, je crois que Martine est enceinte.

— Bon… On va aller voir le docteur.

Pas un reproche, pas une sentence. Et pourtant ! Quand j'ai fait cette annonce, j'avais exactement seize ans et cinq mois. Martine en avait dix-neuf.

Je suis resté seul dans la salle d'attente du médecin en attendant le verdict. Elles sont sorties toutes les deux avec un grand sourire.

— C'est pour le mois de décembre, lâcha Maman, et suffisamment fort pour que tous les présumés malades l'entendent.

Elle était fière. Même pas inquiète. Comme si c'était elle, seize ans et cinq mois plus tôt. Et comme si ça ne suffisait pas, elle ajouta :

— Vous allez vous marier, j'espère !

— Bien sûr, Maman.

C'est ainsi qu'au mois de septembre 1970, avec une dispense signée du bon président Pompidou, je devins le plus jeune marié de France. Et un doigt d'honneur de plus à la normalité. L'irrévérence encore, mais la sagesse toujours.

— Attention, mon petit, cet enfant c'est à toi de le nourrir, à personne d'autre. Tu l'as fait, maintenant il faut assumer. Montre-leur à tous ces cons ce que c'est un homme, un vrai.

L'homme, le vrai c'était bien sûr l'anti-« celui-qui-ne-m'avait-pas-reconnu ». Et les cons c'était tous ceux qui jasaient déjà :

— On vous l'avait bien dit, avec une mère pareille ! Non mais imaginez, papa à seize ans et marié en plus, et toujours au lycée, qui va le nourrir ce gosse ?

Moi, bien sûr. Moi tout seul. J'ai passé mon bac en candidat libre et je l'ai eu. Et puis j'ai continué mes études en bossant comme un dingue pour nourrir ma femme et mon enfant. Sans crédit, sans allocation, sans prêt de qui que ce soit. À dix-huit ans, j'avais mon appartement, un enfant et une femme formidable. Voilà ! Mon avenir, ce serait ça. Je n'imaginais pas le millième de ce qu'allait être ma vie après. Je n'envisageais pas une seconde devenir artiste. Ça viendra plus tard et Maman y sera aussi pour beaucoup, on en reparlera. Comme tu le vois, nous ne faisions déjà pas les choses comme tout le monde. Il se trouva même qu'une incompétence chirurgicale nous fit vivre, une fois de plus, des tourments qui n'arrivent pas aux autres, ou si peu.

Fatiguée des fausses couches, Maman s'était fait ligaturer les trompes. Opération banale, à ceci près qu'au moment où le chirurgien pratiqua ce sevrage définitif, il ne s'aperçut pas qu'elle était enceinte de deux mois. Ahurissant, mais vrai ! Le fils et le petit-fils faillirent naître en même temps. Hélas, la conjoncture si particulière de cette grossesse fit que ce bébé naquit anormal et fragile et mourut dans les jours qui suivirent. Encore une épreuve surmontable seulement en cas de courage extrême. Maman en eut encore et encore, souffrant dans sa chair, et portant en terre dans un petit cercueil blanc, son dernier espoir de maternité.

C'est ainsi que s'acheva la décennie 1960-1970. Dans la douleur et le bonheur mélangés. Hors des normes, hors du commun. Maman ne savait pas que son destin n'en était qu'à ses balbutiements. Fille mère, ouvrière, bringuebalée, humiliée, aventureuse, marquée au corps et à l'âme par mille plaisirs et mille douleurs. Son bâtard studieux tout en rébellion, hors piste, déjà père, déjà grand. Rien que ça, aurait déjà amplement suffi à remplir les pages d'un roman. Ce n'était que la préface.

Ce soir, là-bas dans la chambre qui sent le médicament, le corps est en lambeaux, usé par les efforts, mais l'âme est comme neuve. Tu comprends mieux pourquoi je te disais que Dieu ne la mérite pas.

L'oiseau est toujours dans la pièce. Prisonnier. Le désespoir est toujours dans mon cœur.

Prisonnier.

Je vais aller embrasser Maman. Je te laisse pour ce soir. Le reste est entre moi et moi. Demain, je dois remonter à Paris dans la nuit. Je pense que je n'aurai pas le temps d'écrire. J'espère surtout que rien ne m'y forcera. J'ai des radios, des télés à faire. On m'attend là-haut. J'en crève de partir, mais il faut bien, pour l'instant tout va bien. L'ultime viendra de toute façon quand il le souhaitera que je sois là ou pas. Mais quelque chose me dit que je serai là.

Dors, Maman, je reviens bientôt.

Surtout attends-moi pour partir..

… Ou pour que je t'en aille.

## PARIS.
## Nuit du 17 au 18 octobre 2008.

Je suis revenu à Paris la nuit dernière, après avoir assisté à la victoire de mes joueurs de Brive contre Newcastle. Un superbe match de rugby où mes petits m'ont fait plaisir. Maman l'a regardé à la télé. Elle a été heureuse de me voir heureux. J'ai pris la route juste après pour arriver à quatre heures du matin. Chaque kilomètre qui m'emportait me serrait le ventre. Est ce que je l'ai vue pour la dernière fois ?

Dès le début de l'après-midi, je suis reparti dans le tourbillon de mes multi-activités. La préparation du *Plus grand cabaret du monde* du mois prochain que je dois enregistrer lundi et mardi, une interview pour un journal de vieux, mon émission de radio sur RTL. Parler, parler, chanter, rire, décider, écrire, paraître, sourire, en tentant de dissimuler le mieux possible la douleur qui me vrille.

Quelle étrange souffrance ! Complexe, indéfinissable. Le téléphone m'envoie de Martel des nouvelles régulières. J'ai parlé à Maman. Elle va bien. Étonnamment bien. Et voilà qu'en plus le doute commence à m'envahir. Et si les toubibs s'étaient trompés ? Et s'il y avait quand même un espoir ?

C'est abominable. Les hommes de science m'ont installé une certitude fatale qui me déchire. Et Maman, sans montrer un mieux net, ne donne pas vraiment de signal alarmant d'une fin programmée. Elle est faible, soit, mais la parole est claire et les idées sont bien en place. Au point que j'ai tenté de joindre le professeur et le médecin traitant pour qu'ils me confirment bien leur diagnostic sans appel. Je n'ai eu que leur répondeur. Et les questions qui me tenaillent sont insupportables.

C'est extrêmement choquant, mais la nouvelle tranquillité apparente de Maman augmente d'autant plus ma douleur. Je m'en réjouis, bien sûr, pour elle, mais cela m'inflige un nouveau supplice, une nouvelle angoisse : et si tout n'avait pas été fait ? Et si les médecins avaient arrêté les soins curatifs par routine ? Et s'ils étaient confrontés à tant de cas presque semblables au point de tirer des conclusions générales d'un cas peut-être plus particulier ? Et si, et si, et si…

Et si surtout, j'avais présumé de mes forces. Depuis jeudi je m'obstine à me la jouer en costaud. Tu penses, j'ai l'habitude de ces douleurs-là. La mort du petit m'a blindé à vie. Pas si sûr.

Pas certain du tout, même.

J'ai entrepris d'écrire comme un grand, comme un homme. C'est facile d'écrire, et puis, pour l'artiste à fleur de peau que je suis, la situation est si riche. Les malheurs extrêmes ont vidé tant d'encriers, accouché de tant de pages uniques.

Seulement voilà, je cale. Je ne peux plus. Je déserte.

Chaque frappe sur le clavier est de plus en plus douloureuse. Je suis complètement perdu.

Désintégré.

Alors, j'arrête. Je reprendrai plus tard. Je m'y oblige. Parce que je veux vraiment laisser quelque chose d'elle par écrit et qu'il n'y aura pas assez de place sur la pierre du caveau pour l'épitaphe qu'elle mérite.

Rendez-vous dans… Je sais pas… Le ventre me brûle…

Salut !

## PARIS.
### Nuit du 18 au 19 octobre 2008.

C'était un coup de mou, une grosse défaillance, un passage à vide, comme au rugby. Carton jaune, mais je reste sur le terrain. Oui, je suis fort. Il faut que je continue à écrire. Question de survie. De parole donnée aussi. À elle, bien sûr.

J'ai regardé ma gueule dans le miroir. Molle, défaite. Normal, je m'écoute. Je m'apitoie. J'ai même repris du vin à table et du whisky après. Ça fait vingt-cinq ans que j'ai arrêté. Je buvais à l'époque un litre et demi d'alcool fort par jour. Et puis, j'ai dit stop. Et heureusement. Même à la mort du petit, je n'ai pas replongé. Et au premier chagrin lourd, je me liquéfierais à nouveau ! Imbécile, va ! Pleureuse ! Alors comme ça, après tant de résistances hors normes, monsieur ferait dans l'ordinaire !

Allez, arrête ton cinoche, Patrick. T'es fait pour être debout ! C'est ce qu'elle t'a appris, non ? Un petit coup de blues, d'accord, mais pas d'abandon, ça ne se fait pas chez nous. Ce n'est pas digne de ce qu'on s'est promis. Ce serait trahir nos codes, notre raison d'être, ce lien secret qui n'appartient qu'à nous deux, cette forteresse à deux tours que l'on s'est juré d'être, il y a bien longtemps, contre le monde entier. Contre les assaillants du dehors : les fourbes, les veules, les cyniques et les carpettes. Contre ceux du dedans : l'indifférence, la paresse, le mauvais orgueil, la suffisance, la lâcheté, le renoncement.

On y est, au renoncement, là. Alors bats-toi, chevalier Boutot, fils d'Elle et de Personne. Rappelle-toi les armoiries : sa grande main dans ta petite. Et la devise tracée au doigt dans le sable de notre première plage : « Les seuls combats où la victoire est indiscutable, ce sont ceux que l'on mène contre soi. » Alors, c'est décidé, je me ressaisis, j'affronte, et je tiendrai jusqu'à la fin. Pas seulement la sienne. La mienne, en mémoire d'elle…

Mais quel sale temps ! Faut dire que ça tombe dru depuis une semaine.

René Coll, c'est mon chef d'orchestre, mon ami, mon frère. Plus même, encore un père de substitution. Un pudique, un vrai de vrai, un essentiel à la santé de mon âme. Et voilà que le crabe est venu s'installer chez lui. Saloperie ! On devrait le bannir des signes astrologiques, ce rongeur pervers. Mais c'est bien moins grave que Maman, et puis aujourd'hui, la médecine a tout ce qu'il faut pour lui exploser la carcasse, au crustacé. Quand même, ça aussi, ça m'arrache les tripes.

Et puis, il y a Louis. C'est un gosse de quinze ans. Il y a quelques semaines, Coco, ma copine de Rocamadour, m'a demandé de passer chez lui, en Patrick Sébastien. Le môme aime mes émissions. Alors je lui ai rendu visite.

Une méchante leucémie le ronge depuis de longs mois. Patrick Sébastien l'a soutenu, l'a fait rigoler et puis tout de suite Patrick Boutot s'est attaché à ce petit bonhomme en souffrance. Depuis je ne le lâche plus. Les parents abattus me remercient à chaque fois de prendre sur mon temps. Ces remerciements me font presque honte. Je ne fais pas d'effort. J'apporte juste ce que je peux, parce que je n'ai jamais supporté la souffrance des autres. Je n'aime pas qu'on s'occupe de la mienne, mais je me sens obligé de ne pas rester indifférent à toutes ces douleurs injustes qui clouent des innocents.

Parce que autant Maman et René, on peut dire que c'est l'ordre des choses, autant voir ce gamin en pleine adolescence se faire transpercer de la sorte me démonte et me met hors de moi. À Rocamadour, en plus, ville de pèlerinage. Qu'est-ce qu'elle fout, la vierge noire à deux cents mètres de là ? Ils sont des milliers à venir la remercier chaque année. Elle doit le savoir, la madone black, qu'à un vol d'ange de sa statue, il y a un petit qui n'a jamais fait de mal à personne, qu'on a condamné à souffrir, à regarder ses cheveux tomber, à pleurer chaque nuit de douleur et de peur. Tu sais ce qu'en j'en ferais des cierges, moi ? Voilà, c'est ça, profond, et peut-être même allumés en plus !

Je sais, je blasphème encore, je dérape dans l'anticlérical de comptoir, grossier en plus, mais que veux-tu ? Je vais pas me refaire. Si je les crois, les pieux, c'est leur Dieu qui m'a fait à son image. Donc chaque blasphème vient aussi de lui. Ça rassure. Un peu d'autocritique, ça peut pas faire de mal.

Depuis deux jours, Louis a été plongé dans un coma artificiel. Faut qu'il s'accroche, le petit homme ! Je vais lui faire passer un message. Il paraît que dans ce tunnel-là, on entend quand même les voix, au loin. Comme celles que j'entends au moment où je t'écris dans mon bureau de Paris. Il y a une fête à côté. Des gamins qui chantent, qui rient. Ils doivent avoir l'âge de Louis. La vie est vraiment un bâton merdeux ! comme disait mon vieux Préboist :

— Mon pauvre Patrick, tu sais, l'existence est comme un concombre, quelquefois tu l'as dans la main, quelquefois tu l'as dans le cul !

Grossier encore, primaire mais tellement vrai. Même le plus habile des traités de philo ne peut pas résumer mieux l'indicible absurdité de nos existences et leurs infinies micrographies.

J'ai eu Maman au téléphone avant de venir écrire au bureau. Elle avait regardé *Plus grand cabaret du monde* de ce samedi. Elle était heureuse. Elle m'a félicité. Je suis fier quand elle est fière. J'ai fait rêver des millions de gens, ce soir. Tous ceux qui croient que l'émission est en direct m'imaginent sûrement en train de boire, de rire, de fêter la soirée avec mes invités, de caresser les danseuses. Vous qui savez à quel point, je suis seul, n'allez surtout pas leur répéter. Ils seraient capables de ne pas le croire.

— Tu vas faire quoi maintenant ? m'a demandé Maman, qui sait que je ne me coucherai pas avant six heures du matin.

— Je vais au bureau.

– Travailler ?

– Oui, ai-je menti.

– Alors travaille bien mon petit, à demain.

Travailler ! Comme si c'était un boulot, ce que je suis en train de déverser en encre au lieu de le couler en larmes. Tu ne voulais quand même pas que je dise la vérité :

– Non Maman, je ne vais pas travailler. Je suis en train de faire un livre de ton épitaphe. Parce que, tu sais, même si le docteur m'a confirmé cet après-midi au téléphone, qu'il y avait une embellie pour ton état, il m'a aussi bien répété que c'était provisoire, que l'éclaircie était précaire et que son pronostic vital sans espoir était plus que jamais d'actualité.

« Tu ne mentiras point », me serinaient-ils au catéchisme. « Tu ne tueras point, non plus. » J'espère, monsieur le curé, j'espère…

D'habitude, ma petite angoisse du week-end, quand mon émission passe le samedi soir, est d'attendre avec impatience le lendemain matin les résultats d'audience. Ce soir, dire que je m'en bats les couilles est un euphémisme. À propos de mes couilles, je sais que beaucoup d'entre vous doivent être choqués de lire ces gros mots, ces « salaceries », à chaque coin de mes propos. Peut-être, tu les trouves déplacées ces expressions écrites tout juste acceptables quand elles sont parlées. Mais c'est moi, sans précautions orales, sans préservatif, tout brut, tout brute, parce que la vie me l'a enseigné comme ça. Parce que mon école, hors la communale, a été celle de la rue, des bals, des vestiaires et des bistrots.

Rien que ce mot-là « bistrot », donne un grand coup de soleil à ma mémoire.

Les années bonheur, c'est le titre d'une de mes émissions. C'est surtout la plus délicieuse de mes madeleines. Les années bonheur, c'était de 1971 à 1974.

J'ai dit « bistrot », mais la dénomination officielle c'était « snack bar ». Maman, à force de fréquenter les autres comptoirs avait décidé d'avoir le sien. En septembre 1972, elle a ouvert le Turenne, un repaire de copains, de coquins, de déglingués, de bagarreurs, de paumés, de poètes, de rugbymen, de militaires, de filles faciles, enfin bref, une boîte à bonheur, qui devait déterminer tout le reste de ma vie.

C'est là que je vais mettre le pied à l'étrier de la déconnade gratuite, de la farce, de l'humanisme. C'est de là qu'elle part vraiment, mon autre vie. Celle des sunligths, de la célébrité. « Bar Academy ». C'est là que j'ai pris mes premiers cours de rire épais, d'amours faciles, de futilité, de solidarité, de vraie vie. Avec des vrais gens. C'est aussi là que Maman tenancière est devenue légende locale. On n'allait pas au Turenne, on allait chez « la Dédée ». Boire, manger, s'encanailler, se battre, s'aimer.

Sur le plan commercial, ce fut catastrophique. Recettes et bénéfices s'évaporaient à peine entassés. Il faut dire que Maman souffre depuis toujours d'une maladie incurable et héréditaire : la générosité aveugle. Ils étaient parfois dix pensionnaires, à dévorer tous les jours des entrecôtes épaisses comme la main, à boire la cave. Et neuf fois sur dix (parce que le dixième partait en douce sans payer), ils disaient à Maman :

— J'ai pas bien les moyens en ce moment, je peux payer plus tard ?

— Mais bien sûr, t'en fais pas, je te le marque.

Maman a beaucoup marqué. Rarement encaissé, mais beaucoup marqué.

Ça, c'était juste le côté affaires du Turenne, le moins important. Pour nous, gagner de l'argent n'a jamais été l'essentiel. Ce qui l'a toujours été, c'est la manière de le gagner et ce qu'on en faisait. Une nuance qui peut mieux te faire comprendre mon moteur d'aujourd'hui, mon mal-être dans cette télé de voleurs et d'impatients, dans cette société que le dieu Fric a transformée en gigantesque casino où ce sont toujours les mêmes qui perdent.

Ça ne veut pas dire que je n'aime pas l'argent. Qui peut se permettre de ne pas l'aimer ? Ça veut juste dire que j'échange volontiers mon confort d'aujourd'hui et tout ce qu'il suppose de responsabilités et de contraintes, contre la belle insouciance de l'époque. Seulement voilà, c'était l'époque, justement. La même légèreté est inadaptable aujourd'hui. Le quotidien est devenu trop rude, trop incertain, trop manipulé par les médias, trop asservi aux technologies modernes.

Moi aussi, outre la générosité chronique, je souffre d'un autre mal incurable : la nostalgie. Et surtout la nostalgie de ces années Turenne, précisément. Pour te raconter ce bonheur-là, si je veux que tu comprennes bien, il faut que je change de chapitre, de jour, que je me remémore bien tout pour être sûr de ne rien oublier.

Pas ce soir. J'ai déjà gagné un gros combat. Il fallait que j'écrive absolument, même si c'était peu. Que je me redresse. Juré, si je ne l'avais pas fait, j'aurais pu m'écrouler bien plus loin qu'au pied d'un lit, enroulé en fœtus, comme la nuit dernière.

Ce soir, je suis fort. Et je vais le rester parce que je l'ai décidé. Mur de béton, incassable. Comme après les coups sur la tête du 14 Juillet, comme après toutes les humiliations que je te raconterai plus tard. Comme après la moto du petit qui s'est envolée sur la route de la petite Camargue.

Non, mais !.... Je ne vais pas me faire plaindre en plus ! Il manquerait plus que ça !

Tu ne le sauras jamais Maman, mais, qu'est-ce que tu serais fière de moi ! C'est le minimum que je te dois : ma solidité en couronne de laurier. Ça remplacera largement les fleurs que je ne mettrai pas sur ta tombe.

C'est pas fait pour ça les fleurs.

C'est fait pour le bonheur !

## BOULOGNE *(Hauts-de-Seine).*
## Nuit du 19 au 20 octobre 2008.

Je suis attablé dans le salon de la grande maison. Nana, qui a eu quarante-trois ans aujourd'hui, dort au premier. Lily rêve à quelques mètres. Tout est paisible. J'ai téléphoné à Maman. La voix est claire, les paroles sensées. Je les redoute tant, ces premiers mots, quand j'appelle à Martel. Depuis six mois, chaque fois que le ton devenait hésitant, lancinant, c'était le prélude d'un coma annoncé et immanquablement quelques heures plus tard, on m'annonçait qu'elle avait sombré et qu'on l'avait transportée à l'hôpital. Si le brouillard l'envahissait aujourd'hui, il n'y aurait plus d'hôpital, puisque tu le sais, elle partirait vers le grand silence, tranquille, à la maison, entourée de ceux qu'elle aime.

Et encore, voire ! Malgré les affirmations répétées des toubibs, je commence vraiment à ne plus être sûr du tout de la solution finale. Encore serait-elle en agonie, en demande de soulagement, mais ce n'est pas le cas. Et si le coma annoncé n'était encore qu'une faille passagère ? Et si après ce coma, dont on pourrait la sortir comme les autres fois, elle avait quelques infimes bonheurs à vivre. Rien ne justifierait un arrêt brutal, puisque la souffrance paraît plus que supportable.

Ça bouillonne fort dans ma tête. Ça s'entrechoque. Dois-je me résigner, espérer ? Dois-je préparer les jonquilles du printemps prochain ou arroser les chrysanthèmes ? Putain de dilemme ! Cette douleur est bâtarde. Décidément, ça me poursuit. Je commence à me faire du souci pour ma santé. Je suis épuisé. Le sang me bat de plus en plus souvent aux tempes. Eh, attention ! Pas d'infarctus surtout, ça la tuerait. Remarque, ça serait pas mal, le coup double synchro. Ça nous ferait des économies d'église et de croque-mort. Tu crois que ça se fait, le forfait familial ?... Bon allez, j'arrête les supputations, jusqu'ici tout va bien... Tiens, si on allait faire un tour au Turenne comme je te l'ai promis hier. Dans les années bonheur.

Début de la grande parade : septembre 1972. Depuis mon mariage et la naissance du petit en 1970, j'ai trimé comme un dingue. En plus de mes cours de fac, en lettres modernes à Limoges, j'ai été pion dans un lycée agricole à Objat, à vingt kilomètres de Brive où je vivais avec Martine et le petit Sébastien.

C'était des journées infernales : lever cinq heures du matin. Six heures : le train pour Limoges. Huit heures : les cours, un sandwich SNCF dans le ventre comme déjeuner. Quatorze heures : le retour à Brive dans le train galère qui s'arrête à toutes les gares, la tête plongée dans Zola, Balzac et autres, rien que des prolifiques. Seize heures : cap sur le lycée agricole où je surveillais des turbulents, et une nuit sur deux de garde dans le dortoir des plus teigneux.

J'ai tenu un an et demi, et puis un matin de grisaille sur le quai de la gare de Limoges, j'ai fait demi-tour. Tant pis pour les études. Quant à mon avenir, j'ai plongé dans le doute absolu. Je n'avais qu'une certitude à ce moment-là : il y a un microclimat sur le quai de la gare de Limoges, il y pleut toujours !

J'ai fait les petites annonces et j'ai trouvé un boulot de VRP en encyclopédie. Le vrai début de la vraie vie. Du porte à porte. Médiocre à première vue, voire avilissant. En vérité la plus merveilleuse des écoles. J'y ai tout appris : la communication, la démerde, le contact, la tchatche, la psychologie élémentaire. Chaque visite dans les fermes isolées, les résidences secondaires, les immeubles délabrés, m'a enseigné les autres comme aucun livre, aucun maître en chaire de sociologie n'aurait pu me l'apprendre.

Et la luxure de province en plus ! Je travaillais avec six femmes. Si on y ajoute les esseulées de passage, les nymphos au foyer, les Jeannine de ferme, les Sophie des villes et les femmes de gendarmes, on peut affirmer que le démarchage à domicile n'a rien à envier aux sites Internet d'aujourd'hui, la proximité en plus. Cavaler, séduire, culbuter, a toujours été chez moi une seconde nature. Pardon, plutôt la première.

Maman en est-elle la cause ? Dois-je la remercier, ou mes régulières doivent-elles lui en vouloir ? Je ne sais pas. Toujours est-il que cet appétit de conquêtes, ce besoin de palmarès n'est pas une particularité maison. On ne vous dit pas tout dans *Biba* et *Cosmo*. La réalité, c'est que trois hommes sur quatre sont mes clones sexuels. Un seul l'avoue. L'homme est un loup pour l'homme, pour la femme encore plus. Adultère, menteur, viscéralement dépendant de chaque jupon qui se soulève, prévisible en tout, j'en suis l'archétype et n'en ai ni honte ni remords. Avec les circonstances même pas atténuantes d'une province où l'ennui crée le prétexte. Surtout quand on a vingt ans. Les scrupules arrivent après. Et encore, s'ils viennent. Les punitions aussi. Comme disait Coluche : « Puisqu'on se vante tous de baiser la femme des autres, il y en a forcément un qui baise la mienne. »…

C'était le *modus vivendi* de l'époque dans 99 % des villes de province. Et pas sûr que le XXIᵉ siècle et sa cohorte de progrès moraux en tout genre y ait changé grand-chose. Et surtout ne va pas t'imaginer que cette addiction ne trouve sa légitimité que dans une France de beaufs, casquette Ricard, et vacances au camping dans laquelle j'ai effectivement grandi. Le cul dirige le monde, des palaces aux poubelles, des musées aux fêtes foraines, des élus à ceux qui les élisent. C'est ainsi, et depuis la nuit des temps, même le jour !

Il s'est trouvé qu'en plus, cette période bénie de quelques années est la seule de l'histoire de toute l'humanité où on ne pouvait pas mourir de faire l'amour. Je répète : de toute l'humanité. Au cas où tu n'aurais pas suffisamment apprécié l'incroyable exception. Une charnière d'une quinzaine d'années entre une syphilis inguérissable et le sida à venir. C'est te dire si on a bien fait d'en profiter !

Bien sûr il n'y avait pas que ça. Il y avait une société sans télé omniprésente. Il y avait du travail, des musiques gaies. Les médias ne nous matraquaient pas la beauté obligatoire, le succès à n'importe quel prix, l'argent roi. Et puis si peu d'interdits. Si peu de chaînes. 1968 avait libéré les consciences et les slips. Pas encore de crise pétrolière, de crise financière, de crise de nerfs, de crise d'existentialisme. On ne

66

se demandait pas pourquoi on existait, ou comment faire pour exister mieux que les autres, en les écrasant au besoin. On existait, c'est tout. Au jour le jour. Au gré des plaisirs ordinaires. En s'accoutumant de nos manques plutôt que s'endetter à vie pour les réduire. Maman avait raison encore une fois : « À quoi ça sert de t'acheter un matelas neuf à crédit si le prix du crédit t'empêche de dormir ? »…

C'est dans ce climat sociofestif tropical, chaud et humide, que s'est ouvert, à Brive, le petit paradis de l'avenue Alsace-Lorraine, en face de la caserne. Le Turenne, nommé ainsi pour sa situation sur la route menant au village éponyme, deviendra donc dès septembre 1972, le rendez-vous incontournable des débauchés légers et des fêtards graves.

Ma vie de couple se délitait lentement. Pas de cris, pas de scènes, surtout pas de rancœur, seulement un ennui gracieux, relativement impalpable, mais définitif. Martine était un ange. Hélas ! Même pas une emmerdeuse, comme nous, les passionnés, on aime tant détester. Alors de plus en plus, mes soirées se noyaient au bar de Maman, entre fêtes et tendresses. Et ma femme, se contentant de mon exemplarité quand je rentrais, ne m'en faisait même pas le reproche. Nous avons divorcé sans une altercation. D'un commun désaccord. Sur l'essence des choses : Pour elle, le beau temps, c'était le ciel bleu, pour moi c'était l'orage. Bien longtemps après, Gainsbourg me confortera dans mon choix météorologique : « T'as raison, mon p'tit gars, regarde la photo d'un ciel bleu, c'est chiant, c'est bleu, c'est tout, alors qu'un ciel d'orage ça vit, c'est brûlant, rouge, noir, superbe. »

Paix à ses cendres et aux mégots qui les ont créées !

Tiens, si on avait dû mettre une enseigne au Turenne, ça aurait été la gueule de Gainsbourg, justement. On fumait, on buvait, on riait, on chantait, on couchait, on s'aimait. Maman invitait beaucoup, je te l'ai déjà dit. Ça, c'était pour les gentils, les paumés. Mais Maman cognait aussi beaucoup. Ça, c'était pour les méchants, les suffisants.

Il y en avait au moins un par semaine. Un peu plus agressif et insultant que les autres. Même si le bar était plein de rugbymen amis qui auraient pu régler l'affaire en deux gifles, la salle était soudain plongée dans un silence surréaliste. Les costauds amis, d'un coup quittaient le comptoir pour s'asseoir aux tables, comme si un spectacle allait commencer. Et il commençait. L'intrus, persuadé que son arrogance avait trouvé un écho favorable chez les sportifs, donc une impunité physique, en remettait une couche :

— Pour qui tu te prends, la patronne ? On est quand même pas au Fouquet's dans ton claque… Je paye si je veux, pétasse, et je casse les verres si je veux.

Oh, la douce musique annonciatrice de feu d'artifice ! C'est à ce moment-là qu'en principe, je coupais la musique du juke-box, et que j'allais m'asseoir tout sourire pour moi aussi profiter du spectacle.

Maman ouvrait un tiroir sous le comptoir et en sortait un superbe nerf de bœuf. Elle faisait le tour et allait se placer face au malpoli, qui souvent la dépassait d'une tête. Et là, surprise, elle posait délicatement le nerf de bœuf sur une table et faisait son plus beau sourire. L'adversaire désarçonné lui rendait son sourire et c'est à ce moment précis que partait, appelons les choses par leur nom : un grand coup de poing dans la gueule, généralement suivi d'un coup de pied dans les couilles ! Sobre, efficace, et définitif. Les applaudissements crépitaient. L'intrus, en principe, s'enfuyait tête basse. Si par malheur, le téméraire surmontait sa douleur pour empoigner Maman, alors là, toute la tribu se ruait et ça finissait vilain.

C'était le western quotidien. Évidemment, les altercations entre les clients et « la Dédée » étaient rares. Comme je te l'ai dit, pas plus d'une fois par semaine ! On a des raretés particulières par chez nous. En revanche, les bagarres entre clients c'était tous les soirs. Pensez, des militaires, des rugbymen et des filles ! C'était le cocktail idéal. Mais attention, même si la précision te semble anodine, c'était de la bagarre… Comment dire ?… De la bagarre fraternelle. Pas un couteau, pas d'acharnement à trois sur un. Non, de l'homme à homme. À la « tartine », éventuellement au coup de boule. Du bourre-pif à la Audiard. Bien souvent, les belligérants buvaient un coup ensemble cinq minutes après.

J'imagine avec un sourire béat, certains d'entre vous, les plus matures, lire ces lignes avec une condescendance attristée : « Mais comment peut-on trouver du bonheur dans une telle bassesse de comportement, une telle vulgarité, une telle violence imbécile et gratuite ? Et comment peut-on idéaliser une femme aux agissements si excessifs et malsains ? Comment peut-on prétendre en faire un modèle ? Soit, la limite culturelle explique bien des choses, mais enfin, quel tableau affligeant ! »

Eh oui, Monsieur, bien sûr que vous avez raison sur le fond ! Mais c'était nous, c'était le lieu, c'était l'époque, et surtout, tu sais quoi ? C'était formidable. Dans ces bagarres, ces fêtes, il y a eu beaucoup de coups. J'en ai donné, j'en ai reçu, j'en ai bu… J'ai poussé entre les invectives, les blagues du jour, les apéros jusqu'à plus soif. Je vais même t'horrifier, mon bon monsieur, on s'est aussi fait du flic ! Tu sais, du zélé, qui emmerde pour emmerder quand on chante encore à deux heures deux. Dix fois, elle est passée au tribunal, « la Dédée », pour insultes à agent, voire coups et blessures. Tu parles de coups ! Juste une petite vérification avec le plat du pied sur l'entrejambe, pour être sûre que Brassens disait vrai dans sa chanson sur le marché de Brive-la-Gaillarde, justement. Tu te souviens. *Hécatombe*, ça s'appelait. Ça parlait de furies qui voulaient couper les choses aux gendarmes qui par bonheur n'en avaient pas.

C'était ça le Turenne. Du Gainsbourg, du Brassens, du Audiard. Ça t'étonne que je sois monté les rejoindre ? Ce n'était pas de la violence, c'était du folklore. Ce n'était pas de la vulgaire débauche, c'était Rabelais, du Dard, du Blondin. Les filles étaient faciles, soit, mais pourquoi voudrais-tu qu'elles fussent difficiles ? Les filles de peine font les meilleures filles de joie. Pas des putains, non !… Des filles de bonheur, de sourire. Des infirmières tant saoulées de la maladie quotidienne qu'il fallait bien qu'elles s'épanchent. Des ouvrières, des serveuses, des amies à la peau douce et aux seins lourds et vrais. On les aimait sur une table de l'arrière-salle, dans la chambre du haut, sur le parking en siège couchette. À la va-vite. À la va-bien. On ne leur a jamais manqué de respect. On n'a jamais violé, ni frappé, ni humilié. Jamais. Si par hasard, un de passage ne connaissant pas les règles se laissait aller à une quelconque maltraitance, Maman intervenait aussitôt, et tu sais comment.

Elle est tant intervenue, Maman, pour nous rappeler les codes de la déglingue respectueuse. Elle nous a tant sermonnés. « La fête, d'accord, la porcherie non ! »… Et la compassion… Surtout la compassion.

Tu ne vas jamais perdre tes nuits au bistrot par hasard. Il y a toujours un manque. Elle était là aussi pour leur parler, les remettre dans l'espoir. Combien ont pleuré sur son épaule ? Combien m'en a-t-elle fabriqué de petits frères et de petites sœurs d'un soir ? Combien en a-t-elle sauvé ?

Et toujours, au milieu des rires et des cris, la sagesse d'un jugement en aucun cas altéré par les *a priori*.

Je me souviens d'une peste, une racaille comme on dit aujourd'hui. Robert. Un môme. Teigneux, asocial. Battu depuis tout petit par une famille d'attardés du cœur. Tu sais bien, l'un entraîne l'autre. Un vrai emmerdeur. Et pourtant Maman persistait à lui trouver toutes les excuses. Même le soir où il m'a éclaté l'arcade. Une goutte avait fait déborder le vase, et j'avais emplâtré le premier. Maman nous avait séparés, puis m'avait emmené dans l'arrière-salle pour me calmer pendant qu'il quittait le bar. Elle savait bien que si on avait continué dehors ça aurait pu finir beaucoup plus grave.

— C'est parti pourquoi ?

— Rien, Dédée, une connerie, une histoire de gonzesse. De toute façon, depuis le temps que je veux me le faire.

C'est un connard. Ça vaut rien. Ça mérite que de crever dans un caniveau…

Elle m'a explosé l'autre arcade. Une gifle d'homme.

— Tu parles pas comme ça. C'est pas ce que je t'ai appris. T'as raison, c'est un casse-couilles, mais c'est pas un méchant.

— Je sais pas ce qu'il te faut.

— C'est pas sa faute. Depuis qu'il est petit, on lui fait que du mal

— C'est une excuse pour qu'il en fasse aux autres ?

— Non, mais plus on lui en fera, plus il se braquera.

— T'as qu'à l'adopter à ma place si tu veux !

Vlan ! Deuxième tarte. Sur la joue. Et la marque des doigts en plus.

— T'as envie de me la rendre ?

— Ça va pas, non !

— Eh bien, tu vois c'est ça… Moi je t'aime, et lui personne ne l'aime, à part un ou deux copains. Faut pas le punir. Faut lui expliquer. Qui te dit qu'un jour ce gamin ne sauvera pas une vie, ne rendra pas une femme très heureuse, ne sera pas le plus gentil des pères ? C'est une question de circons-tances. Moi, je sais que ce môme vaut le coup. C'est pas à toi que je vais dire qu'il ne faut pas se fier aux apparences, non ?

J'ai relevé la tête. Elle a essuyé le sang qui coulait sur ma joue. J'ai murmuré :

— D'accord… Je comprends… Mais faut plus qu'il revienne quand même.

— OK, mais jure-moi que si tu le croises ailleurs, tu te tireras sans rien dire… Jure sur ma tête.

— Je jure.

Voilà. En quelques mots, Elle avait tout résolu. L'incident du jour et les risques de représailles. Elle en avait profité pour enfoncer un peu plus le clou de la tolérance de la compréhension. De ce goût de l'autre qu'elle savait essentiel à ma réussite future dans quelque domaine que je choisisse.

Ce soir-là, Robert est parti en colère. Avec Zézé, un de ses seuls potes, ils sont allés vider leur trop plein à cent cinquante à l'heure sur une route de campagne. La voiture a percuté un platane. Robert a été éjecté et le feu a commencé à bouffer la Matra Bagheera où Zézé était coincé, inconscient. Robert n'avait rien. Il est revenu se faire à moitié cramer pour sauver son pote. Il l'a sauvé. Encore une fois Maman avait raison. On avait même frôlé le divinatoire. La suite prouvera qu'on ne l'avait pas seulement frôlé. J'ai su, bien plus tard, qu'à la suite de l'accident et du choc psychologique, Robert avait totalement changé sa façon de vivre. Les dernières nouvelles que j'ai eues de lui évoquaient un mari exemplaire, père de jumelles adorables.

Le Turenne existe encore aujourd'hui sous un autre nom. J'évite toujours de passer devant. J'aurais trop envie d'y rentrer et trop peur de ne rien y retrouver de ce qui m'a rendu si heureux. Peur d'y croiser le fantôme d'Olivier, mon meilleur ami, mort dans un accident de voiture, il y a quinze ans déjà.

Olivier, c'est ma plus belle histoire d'amour au masculin. Rien de sexuel, juste une fusion, rare, belle. Tellement qu'elle mériterait aussi un livre. Je ne sais pas si j'aurai le temps de l'écrire. Ni même l'envie. Je ne voudrais surtout pas que l'épitaphe devienne un système. Je l'évoque ici parce que c'est au Turenne, qu'il est devenu mon frère et demi. Et encore une fois, c'est Maman qui a écrit l'histoire.

J'ai connu Olivier Guillot à l'école, à treize ans. Lui fils de riche industriel, moi, tu sais bien. Lui en costard, moi en pull troué. Début des hostilités. Quelques insultes, quelques gifles, et rapidement une amitié indestructible. Parce que barrés tous les deux dans le même pays imaginaire : celui de la connerie et de la désobéissance chronique. On a passé le bac en candidats libres ensemble et on s'est retrouvés pions ensemble. Puis, il a disparu de mon horizon. Un soir, il a débarqué au Turenne, en fugue, en rupture de ban avec sa famille bourgeoise. Ivre d'alcool bien sûr, mais surtout de colère contre une famille qui n'avait que le tort de ne pas penser la liberté comme lui l'imaginait.

Sans argent, il demanda à Maman de l'embaucher au bar. Même pas cher, histoire d'avoir un toit, à boire et à manger. Maman accepta avec un préliminaire obligatoire :

— Je veux que tu ailles voir ta mère.

— Ça presse pas.

— Si... Ça fait combien de temps que tu ne lui as pas donné de nouvelles ?

— Je sais pas... Des semaines.

— Tu vas me faire le plaisir d'y aller immédiatement. Dis-lui qu'elle me téléphone. Dès que tu reviens, je t'embauche. Je ne veux pas savoir pourquoi tu t'es fâché, je veux juste qu'elle sache que tu vas bien et que tu es en sécurité ici. On a droit à tout, mais pas de faire vivre sa mère dans l'angoisse.

Ce fut le début d'une fabuleuse histoire d'amitié. Olivier le déconneur, Olivier le génie, Olivier l'intelligence pure, l'acteur, le clown, le motard, le fou est devenu ce soir-là mon frère et demi. Quand des années plus tard, je me mettrais en quête d'un secrétaire, un homme de confiance pour ma gloire nouvelle dans le spectacle, c'est Maman, encore elle, qui me suggérera Olivier.

Olivier ! Ça va pas ?... C'est le plus grand barman du monde, le plus fou du département... Mais dans le show-bizz, il va rien comprendre. Le seul chanteur qu'il connaît c'est Alain Barrière…

— Prends-le. Il ne trahira jamais. Dans cette jungle-là, c'est le plus important non ? Tu connais quelqu'un de plus fiable ?

J'ai pris Olivier, et je l'ai gardé jusqu'à sa mort. Non seulement il a tout compris, mais au bout de six mois tout le monde voulait me le prendre. Il a été mon double, mon indispensable, tant ma vie fut collée à la sienne de 1978 à 1993. Je ne l'ai pas remplacé. Je t'en reparlerais plus tard, mais je ne pouvais passer par le Turenne sans lui faire un petit coucou.

Olivier a toujours considéré Maman comme sa deuxième mère. Il l'a toujours vouvoyée. Et pourtant, ils ont partagé les plus grands délires, les plus gigantesques déconnades, les plus belles tendresses. Ne va pas imaginer une relation autre. Une deuxième maman, je t'ai dit… Pas avec une majuscule comme la mienne, mais une maman quand même. Qui enfourche la moto derrière lui pour entrer en vrombrissant dans les boîtes de nuit en roue arrière avec un bras d'honneur synchronisé aux flics qui les poursuivent. Une maman qui grimpe avec lui sur le toit du voisin pour couper le fil du téléphone du mauvais coucheur qui prévient systématiquement le commissariat au moindre débordement de bonne humeur. Je ne vais pas tout énumérer, c'est juste un échantillon. Mais aussi et pour finir, une maman qui le consolera, l'aimera presque autant que moi sans que j'en éprouve la moindre jalousie.

Olivier allait assister à mon premier spectacle dans l'arrière-salle du Turenne. Je faisais des petites imitations, comme ça, pour moi et quelques copains. Un soir d'été, ils étaient dix troufions de la caserne en face en mal d'amuserie. Il a piqué le béret du premier venu, me l'a collé sur la tête et m'a lancé :

— Vas-y, fais-leur Bourvil.

Je l'ai fait. Un vrai succès. Il a repris le béret et fait la quête avec. Huit francs. Mon premier cachet. Dérisoire. Huit francs dans un béret de bidasse aviné, au milieu des nappes en papier d'un boui-boui de province. Et, dans un coin de la salle, Maman qui applaudissait à tout rompre, déjà fière de ce ridicule triomphe de pacotille.

Je regarde autour de moi le décor dans lequel je t'écris. Il est quatre heures dix-huit. Tout est silencieux dans ma grande maison de Boulogne. Dans huit heures j'irai rejoindre en Mercedes 500, le plateau de Bry-sur-Marne et les deux cents employés qui y travaillent pour enregistrer mon émission qui sera diffusée dans le monde entier…

Huit francs dans un béret. C'était la mise de départ. Putain de casino !

— Tu te rends compte du chemin qu'on a fait, Maman ? T'aurais parié toi ?

— Bien sûr, je le disais à tout le monde que mon bâtard, ce serait quelqu'un.

*Tu m'appelles en arrivant ?*

— Me laisse pas Maman, je suis capable de tout flamber.

— Eh bien flambe tout, de toute façon, l'important c'était de gagner, non ?

— T'as raison, bonne nuit Maman, à demain.

— À demain, mon petit.

## PARIS.
### Nuit du 22 au 23 octobre 2008.

J'aurais dû écrire : « À dans trois nuits. » J'en ai passé deux à juste dormir. Récupérer de journées harassantes. J'ai répété et enregistré un *Plus grand cabaret du monde* bien particulier. Depuis dix ans, à mes tables d'hôtes, se succèdent des chanteurs, des acteurs, des écrivains. Là, j'avais décidé de ne mettre à l'honneur que des médaillés des Jeux paralympiques.

Un caprice. Une colère contre l'indifférence récurrente des médias envers ces vrais sportifs de haut niveau que l'on ne traite même pas comme des chiens, vu que les chiens, eux, ont quand même une émission hebdomadaire. Les handicapés ne sont pas trente millions, comme nos amis à poil, c'est peut-être pour ça ! Et puis pas de Canigou, pas de Wiskas à vendre. Que de l'abnégation à admirer. La télé ne célèbre les supra-sportifs que pour susciter chez le téléspectateur consommateur l'identification. Et au passage fourguer les chaussures à bandes, les déodorants, les écrans plats, les fringues, les eaux minérales qui sont censés avoir fait de ces champions ce qu'ils sont. T'as envie de devenir handicapé, toi ? Donc, rien à vendre égal : silence radio, silence télé.

Moi, ces sportifs en kit, je les admire bien plus que ces footeux milliardaires, ces têtes de gondoles en short, dont la seule exemplarité se résume à être transférés comme des bêtes de foire d'un maquignon à un autre pour des sommes astronomiques. Mes invités du jour, ces mômes brisés et reconstruits à la volonté ont fait résonner la Marseillaise à l'autre bout du monde. Cinquante-deux médailles. Douze de plus que les « valides », ce qui a fait dire à un ami ironique que les handicapés physiques avaient fait mieux que les handicapés mentaux.

Qu'est-ce que j'étais fier, hier soir ! Ils ont été formidables, exemplaires au vrai sens du terme. Tous fracassés par les hasards et les accidents de la vie. Déficients visuels, amputés, paraplégiques, tétraplégiques, et cependant rayonnant d'espoir de joie de vivre. Je suis sorti de là aérien, heureux. Juré, je ne l'avais pas programmé pour ça, mais c'est tombé au meilleur moment.

Dans un livre que j'avais écrit après la mort du petit (*Au bonheur des âmes*), j'exposais une philosophie de comportement en cas d'extrême malheur. Une des solutions que je préconisais était de ne surtout pas s'effondrer en demandant de l'aide. J'y expliquais que la principale condition de survie était justement de se pencher sur plus malheureux que soi, de compatir à la douleur d'un autre pour mieux relativiser la sienne. Hier soir, c'était exactement ça et c'est le hasard qui l'a voulu puisque l'émission était programmée bien avant que je n'apprenne l'inéluctable état de santé de Maman. Je ne sais pas si cette émission changera beaucoup de choses, mais je suis sûr qu'elle réveillera des consciences. Je l'ai faite pour ça et je sais…

Pause.

Reprise.

Les trois petits points qui suivent les derniers mots que je viens d'écrire : « Je l'ai faite pour ça et je sais » ont duré un quart d'heure. J'allais écrire que je savais que Maman serait fière de cette initiative tellement fidèle à ce qu'elle m'a enseigné. Et puis le téléphone a bipé à ce moment-là. Un SMS : « Es-tu là ? » Signé Dany Lary.

Dany c'est un magicien incroyable. Depuis dix ans à chaque *Plus grand cabaret du monde*, il invente une grande illusion nouvelle. Il fabrique tout spécialement pour nous, des décors somptueux. Il met tout son talent et sa générosité à mon service. Il ne fait pas que son boulot, il va bien au-delà. Les chaînes concurrentes ont essayé de me le débaucher à grands coups de millions. Il m'est resté fidèle. Ce qui m'a fait écrire dans l'album souvenir de l'émission, que je n'avais pas des collaborateurs mais des résistants.

Je l'ai rappelé immédiatement, Hervé Bitoun, dit Lary. (Au passage, son désintéressement en met un sacré coup à la supposée avarice juive, non ?).

Il pleurait, mon Dany.

— Voilà, Patrick, ma maman vient de mourir et j'ai eu envie de t'appeler.

Le hasard encore, tu crois ? Bien sûr que non. Alors j'ai parlé. Les mots me venaient tellement facilement. Ces mots que je me dis tous les jours en prévision. J'avais la sensation d'être en répétition, en training de désespoir. Au moment où j'ai raccroché, je l'ai imaginé là-bas dans le couloir de l'hôpital, perdu, sans miracle à sortir d'un chapeau. La maman de Dany était une vraie mère juive. Comme la mienne, en quelque sorte, puisqu'il faut bien coller une caricature à ces femmes qui, en accouchant de nous, nous affublent d'un cordon en guise de laisse. Chiens perdus sans colliers, on devient après. Peut-être à la prochaine émission, sera-t-on dans la même peine.

— Tu vois, on était déjà amis, presque frères… Au prochain spectacle, on sera peut-être jumeaux, lui ai-je dit en souriant avant de raccrocher.


C'est fou comme tour à tour, le prévisible et l'inattendu me soutiennent au fil des jours : les handicapés programmés, la mort soudaine de la maman de Dany. J'ai la sensation d'avancer sur un chemin escarpé où le hasard me pose à chaque pas des balustrades, des garde-fous, pour ne pas que je m'écrase dans le vide.

J'ai eu Maman trois fois au téléphone aujourd'hui. Ça allait. Moi aussi. On s'habitue à l'insupportable. J'ai décidé de redescendre demain dans la nuit, juste après l'enregistrement de mes émissions de radio sur RTL. Télé, radio, chansons, je n'arrête pas. Je me saoule de travail, de paroles. De Patrick Sébastien, l'artiste, l'animateur. Celui qui a sa photo dans les journaux, son nom au générique. Celui qui signe des autographes. Classé depuis vingt ans au palmarès des cinquante Français qui comptent, dans le *Journal du Dimanche*. Qui s'en serait douté ? Dédée, peut-être. Mais sûrement pas Patrick Boutot, vingt ans, divorcé, rugbyman, représentant en encyclopédie, imitateur amateur au mariage des copains.

En tout cas, pas à ce point-là !

En septembre 1974, j'avais décidé de bouleverser ma vie. Elle me pesait. Je manquais d'élans, de moulins à vent. Bien sûr il y avait le Turenne et ses plaisirs à discrétion, le rugby qui m'avait emmené en Afrique du Sud fouler la pelouse sacrée de l'Ellis Park, un nouvel amour, les dessins aussi, que je faisais pour gagner ma vie. Mais il me manquait l'essentiel : que Maman soit encore plus fière, encore plus récompensée de tous les sacrifices qu'elle avait faits pour moi. Que je tente quelque chose de plus grand. Un temps, j'ai envisagé l'humanitaire. À la veille de partir en Mauritanie, je renoncerais. J'étais déjà très suspicieux sur le réel désintéressement des convoyeurs de sacs de riz. Une phrase anodine, au hasard d'une discussion de logistique, m'a arrêté net :

— Tu sais Patrick, toi qui aimes la baise, là-bas tu pourras te taper ce que tu veux. La petite Black, c'est du lourd. Un pack de lait et tu niques toute la semaine !

Les restos du cul, franchement c'était pas pour moi. Bon, ça devait être un cas isolé… Voire… Je diffame pas, je raconte. Je généralise pas non plus. Alors, il me restait quoi ? Le séminaire ? J'y ai pensé aussi. Mais là, c'est le contraire qui m'a retenu. Tout une vie sans fesses, même avec ma volonté de compassion réelle pour mon prochain, je ne me voyais pas y sacrifier ma prochaine. Restait le show-bizz. Faire l'artiste. Pour être une star ? Non. Juste pour trouver mon bonheur en faisant celui des autres, et si la gloire arrivait, tant mieux. Et si l'argent suivait, je ne le refuserais pas. Ça me permettrait de mettre toute ma famille à l'abri du besoin.

Un soir d'été 1974, j'ai annoncé ma décision à Maman :

— Ça y est, j'ai décidé, je vais monter à Paris.

— Ah, non, je veux pas aller te voir en prison !

— Qui te parle de prison ?

— Ne me prends pas pour une imbécile, je t'ai vu parler toute la soirée avec « le Grand », et « l'Architecte ».

« Le Grand » et « l'Architecte » totalisaient à eux deux plus de vingt ans de placard. C'étaient des amis de Maman. Des vrais, qu'elle avait rencontrés je ne sais où. Ils étaient respectueux, polis. Pas des voyous « grande gueule ». Des calmes, des Gabin, des Ventura. À l'ancienne. Ils venaient de temps en temps au Turenne avec d'autres de Paris, de Toulouse, de Bordeaux. Voir « la Dédée », bien sûr, mais aussi des copains soldats à la caserne d'en face.

Il arrivait souvent que dans l'arrière-salle, je vois circuler, après la fermeture, des sacs de toile d'où dépassait l'embout d'un fusil militaire. Une nuit où la curiosité m'avait fait poser la question qui fâche, « le Grand » m'avait répondu avec un sourire paternel :

— C'est pour des manœuvres, petit, il faut bien sauver la patrie !

En fait de patrie, j'ai su bien plus tard que les champs de bataille avaient des noms de banques.

Du haut de l'escalier, j'ai surpris une conversation, un soir d'intimité, rideau baissé.

— Si t'as besoin Dédée, je peux te filer cent mille, on te doit bien ça.

— Ça va pas, non ? Je ne veux pas savoir ce que vous faites des armes, ça me regarde pas. Je vous connais suffisamment pour savoir que vous ne vous en prendrez jamais à des innocents. Moi, mon argent, je veux le gagner. Pour le reste, je ne vous juge pas… Mais moi, je sais pas voler.

— Voler des voleurs, c'est pas voler !

— Peut-être, mais c'est pas pour ça que je vous aime.

Elle les aimait parce qu'ils étaient polis, respectueux, élégants, jamais grossiers et qu'il avait une particularité qu'elle vénérait par-dessus tout : la parole donnée et tenue. Des Gabin ! Maman avait pour cet acteur un amour sans bornes. Va savoir ! Un relent d'*En cas de malheur*, de Bébé, peut-être ? Non, pas peut-être… Sûrement !

— Mais Dédée, c'est pas parce que j'ai parlé avec le « Grand », que je veux aller à Paris faire le voyou, ai-je argumenté. Non, je veux essayer le cabaret. Faire l'imitateur.

— Mais tu connais personne !

— Justement, c'est encore plus beau si j'y arrive. T'imagines, si je finis à l'Olympia, comme Adamo, mon idole. Peut-être même que je le rencontrerai et qu'on deviendra copains.

— Ça m'étonnerait. Mais on sait jamais. Et pour l'Olympia, va savoir, j'ai toujours dit à tous ces cons que mon petit, ça serait quelqu'un. En tout cas, moi je sais que t'en es capable !

Alors, elle m'a fait une valise. Dedans, il y avait deux pantalons, deux chemises, deux slips, un pull, deux paires de chaussettes, des affaires de toilettes dans la trousse de service militaire de Camille, plus une dizaine de boîtes de conserve.

— Tiens, voilà six cents francs, m'a-t-elle dit, en me tendant les billets froissés, tu veux que je t'accompagne à la gare ?

— Non, Olivier va m'emmener.

J'ai pris le Capitole de midi. J'allais avoir vingt et un ans dans deux mois. J'ai baissé la vitre du train et j'ai respiré à pleins poumons, pour emporter le plus possible d'air de chez moi là-haut. Et puis j'ai ouvert la valise pour vérifier que je n'avais rien oublié. Entre les chemises, il y avait une enveloppe. À l'intérieur, une pièce d'un franc, et un bout de papier quadrillé sur lequel était écrit : « Ta grand-mère m'a donné cette pièce pour toi, elle te portera bonheur. Ne fais pas de bêtises. N'oublie pas qu'il vaut toujours mieux passer pour un con que passer pour un salaud. Mais j'ai confiance en toi. Redescends dès que tu es malheureux. Je te marque

86

quand même le numéro de téléphone du « Grand ». On sait jamais, si quelqu'un voulait te faire du mal. »

Je suis passé douze fois à l'Olympia, et j'ai toujours la pièce de un franc de ma grand-mère…

Hier après-midi, j'avais un message sur mon portable :

« C'est Adamo, je pense à toi. Tu sais que je suis ton ami. Je sais comme ces moments sont douloureux, et comme j'aime ta Maman. N'hésite pas à m'appeler. »

Je t'appellerai, Salvatore.

Promis, je t'appellerai !

## MARTEL.
### Nuit du 23 au 24 octobre 2008.

Je n'y comprends plus rien. Et tant mieux !

Maman m'a appelé dans la voiture pour me demander où j'en étais du trajet juste au moment où j'attaquais les derniers virages menant à la maison. Quelques minutes plus tard, j'entrais dans sa chambre. Isabelle, qui désormais veille sur elle vingt-quatre heures sur vingt-quatre était tout sourire et Maman aussi.

— Tu as bien roulé ?

— Parfait… Pas de pluie… Impeccable.

Ça fait des mois que je ne l'ai pas vue en aussi bonne forme, reposée, lucide, la voix claire, presque neuve. Je me suis assis une demi-heure près d'elle. Nous avons papoté. Elle m'a confié son projet d'aller demain acheter des fleurs pour les monter sur la tombe de Sébastien, pour la Toussaint. Elle a plaisanté, éclaté de rire même.

Je suis tellement heureux de la sentir si vivante. En même temps, je t'avoue ne plus savoir sur quel bout du cœur danser. Pourquoi le professeur de Toulouse et le médecin d'ici m'auraient-ils raconté des bêtises ? Maman n'a absolument rien d'une malade dont le pronostic vital n'est que de quelques semaines. La mort dans l'âme, je continue à croire aux prévisions sans appel des toubibs, mais je me pose une foule de questions auxquelles Isabelle ne donne pas, elle non plus, de réponses logiques.

C'est vrai que le fait d'avoir arrêté les médicaments curatifs a ralenti considérablement l'activité du foie et du rein qui ont bien moins de toxines à éliminer. Et vu que ce sont les deux organes les plus détruits, on peut comprendre le mieux. Mais cet arrêt suppose aussi qu'à tout moment ça peut se boucher et dégénérer.

Et me voilà en équilibre bien inconfortable entre la satisfaction et l'angoisse. Ces lignes que je t'écris, je les avais projetées sur quelques semaines. Un livre d'adieu mêlant le présent et le vécu de notre histoire d'amour jusqu'à ce que mort s'ensuive. Dis donc, et s'il faisait trois mille pages ce bouquin ? Dix mille ? Crois-moi, je serais le plus heureux des hommes. Parce que maintenant que j'ai commencé pas question que je m'arrête. Peut-être que j'écrirai moins fréquemment, mais j'écrirai jusqu'au bout.

Je m'aperçois soudain de la terrible absurdité de ce que je suis en train de te confier. Parce que toi, tu l'as dans les mains, ce livre. Ce doit être la seule fois où le lecteur sait déjà ce que l'auteur ne sait pas. Tu la connais, toi, l'épaisseur. Tu dois pouvoir imaginer à peu de chose près où se situe l'issue fatale, puisqu'une fois que le définitif sera advenu, je ne m'attarderai que quelques pages, le temps de te raconter juste les heures qui suivront.

Combien reste-t-il de pages à Maman ? Et si c'était seulement le tome I ? Ce serait merveilleux, non ? Je pourrais revenir sur les premières années de notre histoire, que j'ai déjà évoquées. Entrer un peu plus dans les détails, la disséquer mieux, cette fusion. Promis, dès que j'aurai remonté tout jusqu'à aujourd'hui, je repartirai du début avec d'autres confidences, d'autres secrets. Pour l'instant je m'en tiens à l'essentiel. Dame, je croyais qu'on était pressés ! Je vais donc continuer à t'égrener nos destins comme jusqu'ici. Chronologiquement. Mais pourvu que je puisse faire ma Pénélope longtemps. Recommencer et recommencer l'ouvrage. Mon seul souhait aujourd'hui est de fabriquer une bibliothèque de notre histoire, même si au fond de moi, je crains que ce que tu lis ne devienne qu'un livre de poche comme les autres.

Nous en étions restés hier à mon arrivée à Paris, je crois. Ma première vraie séparation avec Maman. Une séparation des années soixante-dix. C'est-à-dire sans téléphone portable. Les éloignements d'aujourd'hui n'ont, hélas ou tant mieux, pas le même goût. Tant mieux parce que ce fil satellite qui nous relie à chaque instant nous réconforte du manque de nos lointains. Hélas, parce qu'il nous impose une dépendance supplémentaire et nous prive de fait de retrouvailles plus chaudes.

J'ai erré pendant deux mois d'audition en audition. Maman, avant de partir m'avait aussi donné le téléphone d'une amie d'un ami. À tout hasard. Une fille de Corrèze installée à Paris. On ne savait pas trop ce qu'elle y faisait. Maman me l'avait décrite belle et légère. Elle était effectivement ça, mais surtout d'une générosité formidable. Au bout de quelques jours d'hôtels pourris, je l'ai appelée. Au bout de quelques heures de charme bien appuyé, je l'ai sautée. Je sais, c'est brutal, inélégant, mais c'est la vérité.

Jo était starlette. À chaque joli mois de mai, elle désertait Paris pour les cocktails et les plaisirs cannois du festival. Une chance que je sois arrivé à l'automne ! Elle avait des amants célèbres et le simple fait de servir dans le même corps qu'eux m'emplissait d'une véritable fierté. Tiens, si jamais ce livre dure autant que je le souhaite, au prochain passage je te balance les noms ! Maman est tellement généreuse qu'elle est capable de tenir exprès pour que je ne te prive pas de ce petit plaisir de curiosité.

Jo m'a accueilli dans son appartement le premier soir et dès le lendemain, m'a trouvé une piaule pile en face, de l'autre côté de son couloir. Le rêve, penses-tu ? Pas tout à fait. C'était un sixième étage sans ascenseur, toilettes à l'étage, au voisinage maghrébin et africain. Une cohabitation avec d'aussi pauvres que moi. Après quelques chicaneries de contact, je m'entendrais parfaitement bien avec eux. La merde commune nous peignait tous de la même couleur, alors à quoi bon en rajouter une deuxième couche ?

Jo était entretenu par un vieux radin aux envies hebdomadaires et au portefeuille égoïste. Ce que j'ai qualifié d'appartement était en fait une chambre de bonne de trente mètres carrés. Bien assez pour de la galipette de sexagénaire. Malgré cette exiguïté mesquine, Jo s'en satisfaisait, comme d'ailleurs elle se satisfaisait de tout, tant elle promenait un sourire et une insouciance permanente qui faisaient plaisir à voir. Quant à ma piaule voisine, c'était quasiment un placard, mais en plus petit, avec un lit minuscule et un évier d'eau froide comme tout décor. J'y avais en plus des punaises comme animaux de compagnie. Une horreur !

L'avantage d'être à deux mètres de chez Jo était que je pouvais profiter de sa minuscule douche et de son téléphone. Mais comme l'amant qui la logeait, en plus d'être un peu radin, était jaloux, j'eus l'autorisation de venir chez elle chaque fois que je le souhaitais mais à deux conditions. Premièrement : me tirer au plus vite, dès qu'on entendait ses pas dans l'escalier. (J'avais largement le temps, après cinq étages, passé soixante ans, le sixième est un Annapurna.) Deuxièmement : je devais toujours répondre au téléphone avec une voix de femme, au cas où ce soit le vieux qui appelle Ainsi pendant deux ans j'ai été Nicole, la copine de Jo.

– Allô, bonjour, je peux parler à Jo ?

– *(Voix suraiguë)* Elle n'est pas là... Je suis Nicole sa copine, je peux lui faire la commission.

– Dites-lui que la maman de Patrick a appelé.

– *(Voix grave)* C'est moi, Dédée...

– Toi ?... Mais... Euh... T'es quand même pas ?

– Mais non, j'ai pas viré travelo... Attends, je t'explique

93

Et bien entendu, pendant deux jours, tout le Turenne a appelé « Nicole » pour se foutre de ma gueule.

Jo m'a soutenu, accompagné aux auditions, remonté le moral quand je me faisais jeter méchamment par des ignobles. Si, si c'est arrivé ! Et bien souvent. C'est d'ailleurs pour ça que je hais tant aujourd'hui ces jurys de concours télé qui démontent les apprentis chanteurs sans tact, avec une cruauté insupportable.

J'en ai vraiment bavé, mais juré, c'était quand même pas ce que certains appellent de la « vache enragée ». Quelle vache ? Elle ne serait pas passée dans le couloir ! C'était juste l'apprentissage, la règle, et avec la ténacité que Maman m'avait donnée en exemple, il en aurait fallu bien plus pour me décourager vraiment. Il y a eu bien plus, justement, mais on y reviendra dans quelques lignes. Je n'avais pas de thunes, je ne mangeais pas toujours à ma faim, j'étais fringué par D & G (Doudoune percée et Gabardine trouée), mais j'avais l'essentiel : vingt piges et l'envie.

Finalement, je suis né le 14 novembre. Une deuxième fois. La même date. Pile le jour de mes vingt et un ans. Il pleuvait fort, et j'avais un blues terrible. C'était mon premier anniversaire loin de Maman, avec une seule bougie, mais pour éclairer mon taudis.

Le cabaret s'appelait La Main au panier. Même pas un lieu de débauche. Un petit dîner spectacle qui existe encore rue de Poissy. Le patron, Jack Gautier, m'a auditionné l'après-midi. J'ai mis mon béret, imité Bourvil, Préboist, un peu Dassin et quelques autres.

— Tu commences ce soir. Je te donnerais trente francs par jour.

Le bonheur ! Tu peux pas imaginer, comme mon cœur a explosé !

— C'est quoi ton nom déjà ?

— Sébastien.

— Sébastien quoi ?

— Sébastien c'est tout. En fait je m'appelle Patrick Boutot. Sébastien c'est le prénom de mon fils. J'ai trouvé que c'était bien comme pseudo… Sébastien.

— Ta mère, elle t'appelle comment ?

— Euh… Patrick…

— Alors, appelle-toi Patrick Sébastien. Si ça marche un jour, ça t'évitera qu'elle te prenne pour un autre. Et surtout, que toi aussi tu te prennes pour un autre !

Voilà ! Vingt et un ans jour pour jour après avoir mis le nez dehors, j'ai mis le pied dedans. À Brive, ce soir-là, le champagne a inondé le Turenne.

J'ai appelé Maman, très tard après mon premier passage.

— Alors ?

— J'ai eu un peu la trouille, mais ça s'est bien passé.

— T'es sûr que t'es heureux ?

— Évidemment.

— Parce que si t'es malheureux, il faut redescendre tout de suite.

— T'inquiète pas… De toute façon, ça, c'est fait ! La suite, on va la gérer au jour le jour. T'as toujours confiance en moi ?

— Évidemment, imbécile !… Tu ne feras plus de bêtises ?

— Cette fois, non.

— Plus jamais ?

— Plus jamais.

Deux semaines avant, j'avais eu un gros coup de blues. Ces patrons de cabaret qui me parlaient mal une fois sur deux, juré, il me fallait une volonté de fer pour pas leur exploser la gueule. J'avais encore le rugby collé aux muscles et à la tête.

Un soir, il y en a un qui m'a fait monter sur une table avec mon béret, et qui m'a pourri devant tous les clients.

— Qu'est-ce que tu fais bien l'abruti, on s'y croirait !… Allez va, me fais pas perdre mon temps et puis perds pas le tien, retourne dans ton trou. T'es fait pour la campagne, toi. T'es à Paris ici, pas au mariage de Tatie Germaine. Dégage !

Et il a éclaté d'un bon rire gras en passant la main aux fesses de Jo qui m'avait accompagné. Elle lui a retourné une énorme claque et m'a tiré de force dans la rue.

J'ai hurlé :

— Je vais lui éclater la tête à ce porc !

— Non, m'a imploré Jo au bord des larmes. Moi, je peux, pas toi. Tout se sait dans ce milieu. Gâche pas ta chance… Viens !

Je me suis fracassé les mains de rage contre le mur du Don Camillo. T'as vu, celui-là, je te le balance. J'avais envie maintenant. Même que le mec en question s'appelait Berger. Il ne saura jamais la chance qu'il a eue ce jour-là !

Sur la colère, en rentrant, j'ai sorti de ma valise le numéro du « Grand ». Pas pour qu'il me venge. Non, je me disais simplement que je ne me ferais jamais à ces gens-là, et que peut-être ma gloire serait ailleurs. Dans la marge. Celle où on corrige à l'encre rouge. Sang.

J'ai rencontré le « Grand » le lendemain. J'ai traîné avec lui et ses amis pendant quelques jours. Jo tentait de me dissuader mais mes arguments avaient toujours le dernier mot.

— Ton logeur, là… ton fourreur (c'était son métier), tu crois pas qu'il te traite toi aussi comme une peau de bête ? Il se tape une princesse à bas prix. Je suis désolé, Jo, mais ton cul, il vaut au moins un trois pièces !

— C'est déjà pas mal, ici.

— Parce que tu te contentes. Et moi, je sais pas me contenter. Ces mecs-là, ces bourgeois de merde, je les connais. C'est les mêmes qui passaient la main au cul de Dédée quand elle faisait leur ménage. S'ils étaient respectueux, je comprendrais qu'ils donnent pas. Mais même pas ils nous calculent. Alors ce qu'ils donnent pas, on va le leur prendre. Et méchamment.

— Je commence à te connaître un peu. Tu sauras pas être méchant.

— J'apprendrai.

Que veux-tu ? J'avais vingt et un ans, des muscles et la colère. Trois raisons d'être un peu plus con que la moyenne.

Une semaine plus tard, dans l'arrière-salle enfumée d'un bar corse du XVIIe arrondissement, j'ai été à deux doigts de la faire, la connerie qui aurait tout changé.

— On va monter sur le coup le 14 novembre, m'a dit le « Grand ». Tu viens avec nous ?

— Ça tombe bien, c'est mon anniversaire. Si j'ai rien trouvé d'ici là, je marche.

– T'es sûr ?

– Pourquoi tu me demandes ça, j'ai pas l'air ?

– Si, mais je suis pas certain que t'es fait pour ça. Tu m'as demandé, je t'ai tout expliqué. Si c'est vraiment ta volonté, je crois que tu peux être utile, mais…

– T'as pas confiance en moi ?

– Si, mais… Tout bien réfléchi, on s'est peut-être emballés et surtout, je voudrais pas faire de peine à Dédée. C'est une femme bien tu sais, ta mère. Y'en a pas beaucoup des comme ça…

– Je sais… Mais, Dédée, elle veut juste que je sois quelqu'un. Et comme les rangés n'ont pas l'air de vouloir de moi, faut bien que j'essaye ailleurs.


Ce 14 novembre-là, le « Grand » se fera blesser salement. Plus dix ans de vacances au frais de l'administration pénitentiaire. Maman lui fera passer des paquets pendant tout ce temps pour le remercier de lui avoir téléphoné le 13 vers midi.

À peine avait-il raccroché, ce jour-là, que le téléphone sonnait chez Jo.

– Allô, bonjour, c'est Nicole, ai-je susurré avec une voix de standard.

— « Nicole », elle va me faire le plaisir de revenir tout de suite à Brive.

— C'est toi, Dédée ?

— Oui, c'est moi, Patrick. Et tant que je suis ta mère tu me respecteras. J'ai tout subi depuis le début sans être une seule fois malhonnête. Jamais. J'ai toujours gagné mon argent à la sueur de mon front. Je t'ai donné le numéro du « Grand » pour qu'il te défende si on voulait te faire du mal, pas pour que tu ailles faire des conneries avec lui. Tu m'entends ? Si jamais tu fais ça, c'est même plus la peine que tu refranchisses le pas de la porte. T'as de la chance que je sois pas là-haut, t'aurais déjà pris une bonne paire de claques. Tu m'entends ?… Tu m'entends ?

Oh, oui, j'entendais. Morveux, pitoyable. J'ai juste répondu :

— T'as raison, pardon. Excuse-moi, je le referai plus.

Un gosse. Crétin. Puni. J'ai compris (provisoirement, tu liras plus tard pourquoi) qu'on avait le droit d'avoir des amis sans devenir ce qu'ils sont. Tout le piège de la vie est là. C'est aussi une des clés essentielles du bonheur. Et c'est encore Maman qui me l'a donnée.

Ne refuser son amour à personne, mais sans se laisser aveugler au point de devenir le contraire de ce qu'on est.

C'est bon pour les hommes, mais ce le sera aussi pour les femmes…

*Tu m'appelles en arrivant ?*

Ça, on en parlera demain. La prochaine nuit. Ou une plus tard.

J'ai le temps maintenant.

Enfin j'espère.

## MARTEL.
### Nuit du 24 au 25 octobre 2008.

Au début c'était une pulsion, puis c'est devenu un besoin. Ça a failli être une corvée. Aujourd'hui, c'est un simple rendez-vous. Mon rancart de une heure du matin. Celui que j'appréhende toute la journée, en me disant : « Qu'est-ce que je vais pouvoir écrire ? » Et puis : « À quoi ça sert ? N'est-ce pas indécent ? Pour qui je fais ça ? », etc. Cent questions qui s'ajoutent aux autres, celles du désespoir, de la survie. Mon clavier est devenu le point d'eau où je viens m'abreuver chaque nuit, comme les fauves. En cachette. Dans le noir.

Masochiste ? Exhibitionniste ? Naturel ? Malsain ? Inutile ? Je ne sais pas. J'analyserai plus tard. Peut-être que je déchirerai tout. Si ce n'est pas le cas, c'est qu'en ce moment tu me lis. Je veux te dire ma seule certitude : si ces mots sont publiés, c'est que Maman, où qu'elle soit, m'en aura donné la permission.

Cet après-midi, le professeur de Toulouse que je n'avais pas eu depuis une semaine m'a appelé. Il a confirmé le diagnostic.

— Une greffe hépatique serait pure folie. Je maintiens ce que j'ai dit. L'issue, malheureusement, quelles que soient les éclaircies, ne fait pour moi aucun doute. Mais, bon Dieu, qu'est-ce que j'aimerais me tromper !

— Je vous appelle pendant qu'elle n'est pas là, lui ai-je confié. Aujourd'hui elle a voulu aller manger à Brive, et puis porter des fleurs au cimetière. Dans son état et avec tous ces microbes d'automne, c'est pas dangereux ?

— Il faut qu'elle se fasse plaisir. C'est la seule thérapie qu'il nous reste avec les soins de confort. Je m'excuse mais vous m'avez demandé la vérité, c'est celle-là…

— Ne vous excusez surtout pas, je comprends… Et pour le premier coma, on va faire quoi ?

— Il ne faut pas partir avec des idées toutes faites. C'est là que la médecine s'arrête. Tout devient alors une question de conscience et chacun le vit différemment. Vous aviserez, à plusieurs, au gré de votre réflexion. Je sais que c'est insupportable, mais c'est ainsi.

— Excusez-moi encore de vous ennuyer avec de l'exceptionnel pour moi, qui pour vous doit être de l'ordinaire.

— Ce que vous dites est faux. Pour moi, ce n'est jamais l'ordinaire.

— Pardon… Et merci de votre écoute. Juste une chose encore. Hier en voulant lui retirer un pansement, la peau est partie avec. Vous pourriez prescrire une autre marque de pansement ?

– Je vais peut-être vous choquer, ce n'est pas la faute au pansement… C'est la peau.

C'est à ce moment-là que Maman est apparue au bout de la terrasse au bras d'Isabelle. J'ai raccroché et j'ai fait un grand sourire que Maman m'a rendu. Lunettes de soleil, capeline et pantalon noir, elle rayonnait malgré son extrême fragilité. Un oiseau qui ne pèserait que le poids des plumes. Elle avançait à tout petits pas hésitants.

Le téléphone a sonné. C'était Nana qui m'appelait de la maison, à Boulogne, les larmes aux yeux :

– Lily vient de faire ses cinq premiers pas toute seule. J'en ai chialé. Les deux premiers, elle a hésité. Tu sais, comme les vieux. Et puis elle s'est lancée.

Je les avais aussi devant moi, les petits pas hésitants. L'équilibre instable. Et sûrement le même sourire, la même fierté d'avoir vaincu l'espace. Lily grandit, Maman rétrécit. Lily arrive, Maman s'en va. La vie continue de s'effilocher, donc ! Et les boucles se bouclent. Les soleils d'automne envolent les bébés et aplatissent les mamans. Au même tempo. À petits pas comptés.

Je n'ai pas envie, ce soir, de repartir à Paris en 1974. Tu sais, quand moi aussi je faisais mes premiers petits pas hésitants d'apprenti vedette. Non, j'ai juste le besoin d'avoir l'âme à elle et à elle seule. Je t'ai dit que j'écrivais à la nuit la nuit, à l'instant l'instant, sans rien masquer des émotions qui me transportent. Celles de ce soir me commandent d'arrêter d'écrire et de sortir marcher dans le noir sur les petits chemins de la propriété. Respirer la nuit fraîche. Voir de loin là-bas, la petite lumière de sa chambre. M'asseoir au pied de mon arbre préféré pour me lier à ma terre. Et compter les étoiles. Toutes. Me dire qu'il en manque une. Mais pas pour longtemps. Laisser aller mon spleen, mon infinie détresse. Ne plus les écrire. Les vivre juste. Sans pleurs, sans coups de poing aux écorces, sans hurlement de loup. Avaler sa présence encore, à grands coups de respirations profondes et mesurées. Fermer les yeux et la revoir pêle-mêle danser au bal du 14 Juillet, chanter sur les tables des cafés, raccommoder mes genoux de mioche au mercurochrome qui pique, prendre ma tête sur son sein lourd à mon deuxième chagrin d'amour, remonter l'allée de mon premier Olympia pour s'asseoir au premier rang, faire voler le képi d'un flic, prendre dans ses bras son premier petit-fils, entrer dans la mer aux Saintes-Maries au milieu des guitares gitanes… Et avancer à petits pas… Avancer à petits pas…

Je vais avancer à petits pas dans le chemin, lentement… Très lentement.

— Dis, c'est encore loin, la mort ?

— Je sais pas, Maman…

— Je peux m'appuyer sur ton bras ?

— Bien sûr, je t'accompagne jusqu'au bout.

— Il fait frais ce soir.

— Eh oui, c'est octobre.

— J'irai jusqu'au printemps ?

— Je ne crois pas.

— Dommage. J'adore le printemps. Tu te souviens, les premières primevères.

— Oui, je t'en faisais un bouquet à chaque fois.

— Et les premières cerises, qu'on mettait à cheval sur l'oreille…

— Ça, c'était plutôt l'été.

— T'as raison, tu sais, ma mémoire me lâche parfois.

— C'est normal, on s'approche de la fin… À propos, tant qu'il t'en reste un peu, c'est qui mon père ?

— Tu m'agaces, je te l'ai dit cent fois… C'est Henri, le boucher.

— Tu es sûre ?

— Oui… je suis sûre de te l'avoir dit cent fois !

## BOULOGNE.
### Nuit du 25 au 26 octobre 2008.

C'est fou la célébrité quand même. Je n'imaginais pas que la mienne dépassait à ce point les frontières, et même la planète. Ce soir, en rentrant de Martel à Paris, un androïde tout en métal gris avec des bandes jaunes m'a pris en photo à mon insu. Sûrement un fan tombé d'une autre galaxie qui a dû voir mes émissions via un satellite de passage. Il m'a flashé sans même me demander la permission. Faut dire que je roulais à 140 ! Oui, je sais c'est de l'humour à deux balles, mais même à ce prix-là j'en ai besoin. Je n'ai tellement pas le cœur à ça.

J'ai laissé Maman comme le temps. Au beau fixe. Par un après-midi quasiment printanier. Puisque je te dis que le temps l'attend ! A ce propos, je redoute réellement, même si ça te paraît stupide, la dégradation que la météo annonce pour la fin de la semaine. Le cauchemar continue. L'insupportable étau qui m'écrase le cœur. Cette tristesse avortée. Cette angoisse qui fait cogner à mes tempes chaque sonnerie de téléphone comme une sirène d'alerte.

Je vais encore enregistrer dès lundi un *Plus grand caba-ret du monde*. Tant mieux, ça va m'occuper la tête. Mais franchement le cœur n'y est pas. Le cœur d'ailleurs n'est à rien. J'espère que Nana tiendra. Elle a la plus mauvaise place. Quand le petit s'est tué, il y a dix-sept ans, Fanfan, ma femme du moment n'avait pas eu la force. Je ne lui en ai jamais voulu. J'espère que Nana sera solide. Elle a une alliée : Lily, notre princesse des îles rien qu'à nous deux. Elle dort à quelques mètres de moi. Et encore une fois sa florai-son me renvoie à Maman qui se fane… Allez, reprends-toi Patrick ! Essuie cette larme qui te pollue les lunettes et emmène-les en 1974. Cette nuit tu as le temps, on passe à l'heure d'hiver. Sympa ce cadeau à Maman, non ? Une heure gagnée, que contrairement à moi on ne lui reprendra sans doute pas.

On s'était quittés au sixième étage de Jo, et à mes premiers petits pas en cabaret. Déjà une vraie belle victoire, mais j'étais encore bien loin de la consécration. Ils sont tant à avoir erré comme moi de petits cachets en petits cachets, entre le rez-de-chaussée et l'entresol, sans jamais grimper les autres marches.

Moi ça a duré cinq ans. Cinq ans avant d'avoir mon nom en gros sur la façade de l'Olympia. Dans mon métier, c'était ça la consécration. C'était l'Olympia d'avant. Celui d'aujourd'hui consacre à la chaîne. Avant, il fallait le mériter. Aujourd'hui, il suffit parfois de l'acheter pour un soir. Les promoteurs l'ont changé de place pour le reconstruire à l'identique. Le décor est rigoureusement le même, mais l'exigence a sérieusement dévalué. Il paraît même que les fantômes sont partis… De dépit !

Mon nom s'est inscrit au fronton du vrai Olympia une première fois en décembre 1975. Pour la présentation du spectacle d'Annie Cordy. En tout petit. Juste une ligne. C'était déjà énorme. Même inconnu et en minuscule, mon nom brillait sur la façade du temple. De cabarets en cabarets, de galères en galères, à force de travail, de bouche à oreille, j'avais fini par y atterrir, transi de trac.

Maman était là bien sûr le soir de la première. Anonyme dans un parterre de stars. Ça y est, j'étais devenu quelqu'un ? Oui et non. Oui parce que la salle mythique me fit une belle ovation. Non, parce qu'ils ne venaient pas pour moi et uniquement pour moi. Bien sûr, elle était plus que fière. Mais elle retenait sagement son enthousiasme, parce qu'elle savait que le chemin du véritable succès serait encore long. Elle savait surtout que le pire pourrait être de ne connaî-tre que ça. L'antichambre. Elle redoutait de me ramasser en miettes quelques années plus tard, ayant goûté au fruit sans le savourer vraiment.

— Ne t'emballe pas, mon petit. Travaille, apprends… Je suis très fière de toi. Mais je sais que tu peux aller bien plus loin. Tu te rappelles les repas de mariage chez nous ?

— Bien sûr.

— Eh bien dis-toi que tu n'en es qu'aux bouchées à la reine !

Tous ceux qui ont connu ces festins interminables comprendront aisément ce que Maman voulait dire.

Alors j'ai travaillé. Énormément. Tous les jours. Dimanche et fêtes compris, bien sûr. Tellement qu'on ne s'est pas vus beaucoup pendant toutes ces années. Même pas à Noël ni au 1er janvier. Surtout pas, c'est là qu'on était payé le mieux. Des cabarets, je suis passé aux salles des fêtes de province, aux bals, aux soirées privées. Je faisais des milliers de kilomètres, des centaines de spectacles, en première partie des grands de l'époque. Sardou, Lama, Lenorman, etc.

J'appelais Maman tous les jours, comme je n'ai jamais cessé de le faire depuis. Le Turenne continuait à délirer sans moi. Je m'y arrêtais de temps en temps, en coup de vent, en coup de vin convivial. Histoire de me reposer des coups de whisky obligatoires qui étaient devenus mon EPO dans cette course de fou, ce tour de France de la bonne humeur.

Mes ex-troisièmes mi-temps hebdomadaires de rugbyman étaient devenues quotidiennes. Et comme ma santé de sportif me le permettait, je me décalquais dix fois plus que mes musiciens frêles, qui s'écroulaient au cinquième verre. Moi, c'était une bouteille et demie par jour. Rétrospectivement, de la connerie pure. Sans eau. On appelle ça des erreurs de jeunesse. C'est pour ça qu'il vaut mieux arrêter quand on est encore jeune.

J'ai bu au début pour me donner la gaieté, la force de monter sur scène. L'alcool est une arithmétique : diviser les peines et multiplier les joies. Du moins le croit-on. En fait l'alcool multiplie tout. Il ne divise qu'une chose : celui qui en abuse. Il fait d'un être deux clones qui au fur à mesure de la dépendance s'éloignent l'un de l'autre. Et quand celui qui est à jeun est radicalement différent de celui qui a bu, on appelle ça un alcoolique. L'alcool ne rend pas meilleur. Juste, quand on est mauvais on ne s'en aperçoit pas !

Je ne me suis pas aperçu que je devenais alcoolique. Et pour cause, les autres ne s'en apercevaient pas non plus. J'étais juste gai, fêtard, incouchable, traînant au hasard de mes premières tournées dans tout ce que la France comptait de boîtes de nuit et de bars louches. Je prolongerais cette débauche suicidaire jusqu'en novembre 1985. Le 14, jour de mon anniversaire encore, je déciderais de ne plus boire une goutte. Et je m'y tiendrais. Pour ne pas mourir de trop vivre.

Jusqu'à cette date-là, ce sera dix ans de déglingue totale. Dix ans de plaisirs inouïs, de filles culbutées, d'amis d'un soir, de délires nocturnes rabelaisiens, la bite en étendard et la bouche pâteuse. Je pourrais en écrire cent livres tant chaque jour a été une fête différente, mais ce n'est pas le propos puisque Maman n'en a pas su le dixième. Même si elle a pu l'imaginer au son rauque de ma voix de huit heures du matin.

— T'es tombé du lit ?

— Non, je rentre. Je voulais te faire un coucou avant de dormir.

— Tu fais pas trop de bêtises ?

— Juste celles qui font du bien. Je te jure que j'ai jamais été aussi heureux.

C'était presque vrai.

Ça n'a pas empêché la consécration. Ça ne l'a pas facilitée non plus. Au point que deux mois avant mon premier Olympia en vedette, j'ai tenté pour la première fois de mettre fin à mes jours. Sûrement la plus grosse saloperie que j'ai faite à Maman. La plus grande infidélité à notre histoire d'amour. Je m'en voudrai toujours. Je ne savais pas encore, hélas, à quoi ressemblait la douleur de perdre un enfant. Rétrospectivement je me vomis d'avoir tenté cet acte égoïste pour une femme d'un moment de ma vie, sans penser une seule seconde au mal que je pouvais faire à celle de ma vie tout entière.

Eh oui ! Une histoire d'amour banale qui tourne mal. Pile au moment où, après des années de bras de fer, j'allais gagner le premier grand combat. L'Olympia avec mon nom en gros était programmé pour les fêtes de Noël 1979. J'ai fait une première tentative pendant ma tournée d'été. Désintégré par la souffrance et le chagrin, je me suis pendu à une branche d'arbre en plein mois d'août. La branche a cassé. Non seulement je me suis retrouvé le cul par terre à peine commotionné, mais j'en ai dépassé les limites du ridicule. Ce qui infirme l'adage : le ridicule tue. Bien sûr Maman n'en a rien su.

Elle s'appelait Marie Myriam, l'amour déçu. La dernière chanteuse « eurovisionnée » en date, avec une chanson culte : *L'oiseau et l'enfant.* La prescription amoureuse fait que je peux en parler librement aujourd'hui. Après les rancœurs d'usage, elle est restée mon amie, et celle de Maman aussi. Une amitié souriante, sans la moindre équivoque. Chaque fois que nous nous voyons, nous ne gardons que les bons moments de cette période, qui me fit pourtant souffrir énormément. Elle aussi d'ailleurs. Mais ça, je l'apprendrais longtemps après. Comme quoi, malgré les apparences, les séparations sont parfois aussi cruelles pour celui qui part que pour celui qui reste.

En fait, ce fut un chagrin d'amour tout bête comme il en existe tant. Tellement ordinaire que je me demande encore aujourd'hui comment j'ai pu en arriver à une extrémité aussi inadaptée. Un bon blues de quelques mois aurait suffi. Ou alors quelques anxiolytiques. Ou bien des cuites à répétition en attendant la suivante. Le problème, c'est que j'ai mélangé les trois. Putain de cocktail !

Et Maman dans tout ça ? Puisque c'est d'elle que je veux parler ici, bien plus que de moi. Eh bien, Maman ne savait pas tout. J'esquivais, je minimisais, tant il est évident qu'à vingt-cinq ans, qui plus est aux portes de la gloire, on ne va quand même pas pleurer dans les jupes de sa mère, non mais ! J'ai bien été obligé d'y aller pleurer, en septembre, après le lavage d'estomac à l'hôpital Laënnec où je suis passé à deux doigts de réussir ma sortie après avoir avalé toute ma pharmacie. C'était la deuxième tentative, la plus sérieuse. Je m'attendais d'entrée à ce qu'elle me gifle, de colère. Elle a juste attendu un peu.

— Comment t'as pu me faire ça ?

— J'en pouvais plus, je te jure… J'avais plus rien.

— Et moi, alors ?

— Toi, c'est pas pareil.

— T'as raison, mon petit, c'est pas pareil. Elle, t'es rentré dans son ventre, moi t'es sorti du mien… Je te choque ?

— Non. T'as raison.

— Tu sais, j'ai pas toujours raison, mais je sais des choses que toutes les vraies mamans savent. Qu'il n'y a rien de pire que de partir après son enfant. Et tu m'aurais fait ça pour une histoire de cul ?

— D'amour, Maman.

— Parle pas de ce que tu connais pas encore. C'est pas ça l'amour. C'est pas : « je t'appartiens, tu m'appartiens ». L'amour c'est vouloir le bonheur de l'autre quoi qu'il décide. Si elle a choisi de te quitter, c'est que tu n'as pas su la rendre heureuse. Alors si tu l'aimais vraiment, tu te réjouirais de son bonheur, même avec un autre. Je la connais, c'est pas une mauvaise fille, et tu sais comme je suis sévère avec toutes celles qui pourraient te faire du mal.

— Elle m'a fait du mal.

— Peut-être, mais c'est surtout toi qui t'es fait du mal… Que tu la trompes à tour de bras, c'est dans ta nature. Que tu sois jaloux en plus, c'est limite. Mais que tu la fasses pleurer un soir sur deux parce que t'as bu un coup de trop, c'est pas bien, mon petit… Pas bien du tout. Je sais même que tu l'as frappée, un soir, c'est elle qui me l'a dit.

— La salope ! C'est elle qui m'a bousculé la première… Ah d'accord, j'ai compris, elle t'a bien embobinée toi aussi.

C'est là que la gifle est partie.

— Personne ne m'embobinera jamais contre toi. Personne. Si tu le crois, tu te lèves et tu t'en vas. Et surtout, tu ne reviens jamais.

Je suis resté assis et je me suis mis à pleurer. Je m'attendais à ce qu'elle me prenne dans ses bras. Elle ne l'a pas fait. La punition de mon suicide manqué. À contrecœur sûrement. Elle a juste ajouté calmement :

— Trouves-en une autre… De toute façon tant que tu n'auras pas changé, ça finira pareil.

— Merci de m'encourager !

— Je ne te décourage pas. Tu sais, je ne les estime pas beaucoup toutes celles qui tournent autour de toi. Et si jamais tu deviens vraiment ce que tu veux être, je les estimerai de moins en moins. La confiture, ça attire les mouches ! Faudra que tu fasses avec, et t'as pas fini d'en baver. Mais je t'interdis d'essayer de mourir pour une seule d'entre elles !

Là, elle a pris un temps, m'a regardé bien droit dans les yeux, et a lâché, la voix nouée :

— Je ne mérite pas ça.

Je l'ai prise dans mes bras. Elle a pleuré un peu, puis en relevant le visage, elle a dit en souriant :

— La prochaine fois, prends-en une qui chante seulement l'enfant, pas l'oiseau, ça lui évitera de s'envoler.

Tout bien considéré, à partir de ce moment-là, j'ai décidé de choisir la volière ! Le chagrin d'amour mal cicatrisé et l'alcool placebo m'ont fait atterrir un soir de septembre à Pigalle. Pigalle la perverse, Pigalle l'étrange. Repoussante et attirante à la fois. Pigalle l'aimant. Berceau tout en néon des vanités, des vices, des dérives, des excès. Pigalle 1979, la nuance chronologique est importante. Pigalle fantôme. Encore hantée par les derniers bandits d'honneur, les échassières à l'ancienne tout en gouaille, des clodos sympas et les flics bon enfant. C'est dans ce Pigalle-là que j'ai décidé de faire mon nid. Il y en avait plein les branches, des oiseaux de nuit. Un paradis... ou un enfer. Même aujourd'hui je ne sais pas trop si c'était le bien ou le mal qui me donnait rendez-vous toutes les nuits de la rue Fontaine à la rue André Antoine.

Pendant des mois, j'ai mené une double vie intense, dangereuse, en équilibre instable entre le show-bizz et la voyoucratie. J'écumais tous les bars à filles. Je me faisais de nouveaux amis tous plus louches les uns que les autres. Autant chez les flics que chez les truands. J'y côtoyais des légendes du grand banditisme, dont je ne me doutais pas que trente ans plus tard, je devrais assurer, comme animateur, la promo du film racontant leur vie... Et surtout leur mort.

Au bout d'une nuit d'ivresse et de compassion, j'ai même recueilli une mésange égarée. Un tapin que j'aimais un peu plus que les autres, et à laquelle je me suis attaché un peu plus qu'aux autres. J'aurais pu tomber proxo, puisque pendant quelques mois elle a habité chez moi. Et puis j'ai aidé le bel oiseau à s'échapper de la cage. Ça n'a pas été facile de la retirer des griffes des macs de gouttière qui la faisaient bosser. Par chance, j'avais noué un lien presque filial avec la grande taulière du quartier. Celle qui décidait de tout. Elle m'a donné la permission de l'emporter le plus loin possible pour qu'elle se refasse des plumes blanches.

Et puis, j'ai vécu tant de choses qui ne peuvent pas être révélées, même aujourd'hui. Des dérapages qui ne supporteraient pas la violation du secret. Il n'y a jamais vraiment de prescription dans ce milieu-là. Cependant, je veux bien lever un tout petit coin du voile. Parce que parmi tout ce qui ne concerne que moi et ma conscience, il y a un événement qui est directement lié à Maman, même si je n'en ai jamais eu l'aveu de sa part. Et nous sommes là pour parler d'elle, non ?

Mais c'est un peu long, complexe. Et puis, il faut que je réfléchisse encore s'il est bon de l'étaler. Je vais attendre demain ou après-demain. J'écris, comme je te l'ai déjà dit à l'instinct, au moment, ce qui me vient. À l'instant présent, j'hésite encore. Pas que ce soit inavouable, mais ça fait partie d'une intimité bien particulière que tu auras peut-être du mal à croire tant ça ressemble à un polar noir. Pourtant, je te jure que c'est bien arrivé et exactement comme je te le conterai si je m'y décide. Je m'étais toujours promis de ne le garder que pour moi. Mais finalement, pourquoi pas ? Cela te montrera, s'il le fallait encore, à quel point Maman a régné sur chacun de mes actes. Réussis ou manqués. Alors, pour ça, à demain peut-être…

En attendant, on va revenir aux paillettes, la face lumineuse de ma vie d'alors.

En décembre 1979, mon nom s'est enfin étalé en rouge vif et en très gros au fronton du plus grand music-hall parisien. Enfin ! La consécration. Une première avec des stars qui ne viennent que pour moi. Que pour le petit bâtard de Juillac à qui on mettait des coups sur la tête les soirs de 14 Juillet.

Quand on passe à l'Olympia, les grosses lettres rouges du nom de l'artiste sont installées sur la façade la veille, dans la nuit. Je n'en connais pas un seul qui n'ait pas fait le planton, en cachette, sur le trottoir d'en face, dans le noir, pour le savourer à fond, ce moment rare. Cette nuit-là, nous étions deux. Maman et moi, espions dans ma voiture stationnée à l'angle de la rue de Rivoli. Quand toutes les lettres ont été posées, elle a serré ma main. J'ai détourné la tête pour ne pas la regarder pleurer de joie. Elle a murmuré :

– Ça aurait été bien aussi, Patrick Boutot.

– Ouais… Je leur ai demandé de mettre « Patrick Sébastien, fils de la Dédée », ils ont dit que c'était trop long !

– En vrai ?

– Mais non, je déconne !

Remarque qu'aujourd'hui, je pourrais presque le mettre tant, au fil des années, sa personnalité a conquis la plupart de mes collègues du show-bizz. Son naturel, son franc-parler ont séduit bien au-delà de moi. Les travestis de chez Michou la traitent comme une reine. Elle a imposé sa force de « Mamma », des couloirs des studios télé aux salons des restaurants les plus chics, des coulisses des cabarets les plus interlopes aux antichambres de certains ministres. On l'appelle même « Madame Sébastien ». Une incongruité pour moi, pas toujours pour elle. Et c'est là qu'intervient un de nos points de désaccord, une des causes de nos orages passés. Parce que jusque-là, en 1980, le temps avait été plutôt clément entre nous. Quelques nuages, quelques averses, rien de grave. À partir du moment où Dédée deviendra « la Maman de Patrick Sébastien », les choses vont à la fois devenir rêve et cauchemar. Oh, pas de son fait ! Mais les circonstances de la vie, les jalousies multiples, les profiteurs et les courtisans vont sérieusement compliquer nos rapports. Avec la circonstance aggravante qu'ayant plus que jamais le cœur sur la main et la compassion facile, elle deviendra la proie idéale des faux amis et des pleureuses de fond. Au point de nous séparer ? Aucun risque, mais ce n'est pas faute de tentatives… Je te raconterai ça demain, ou plus tard ou jamais, je ne sais pas. Ça va dépendre de tellement de choses. Du temps qu'il fera surtout…

Pourvu qu'il y ait du soleil, à Martel !

# BOULOGNE.
## Nuit du 26 au 27 octobre 2008.

Je suis très fatigué, mais je vais écrire quand même ce soir. En attendant de forcer le sommeil si dur à venir vers six heures. Tout à l'heure, je vais avoir une journée à rallonge. Entre des vedettes, des sunligths, des acrobates roumains, des magiciens allemands, des contorsionnistes russes. Après un après-midi à régler tous les détails, je vais entrer sur la scène du *Plus grand cabaret du monde* vers vingt et une heures, armé de mon plus beau sourire. Et pendant plus de deux heures, je ferai le beau, en parfait chien-chien bien pomponné par « Chic toutou ». Le courage, bien plus que le maquillage, m'aidera à cacher la vilaine blessure qui me coupe en deux. Vous n'y verrez que du feu. Des confettis aussi et puis du rire, la fameuse politesse du désespoir. Et qui pour me plaindre ? Personne et tant mieux. *The show must go on.*

Je me souviens d'un coup de Michel Jonasz, qui fera partie de mes invités demain. Sûr qu'avant l'émission, je le prendrai à part dans la loge, pour lui expliquer l'état de santé de maman. Il la connaît bien, du temps où on faisait une tournée ensemble, il y a déjà trente-trois ans. Je lui rappellerai ce soir

123

de mai 1979 où il faisait son premier spectacle en vedette à l'Olympia. Un triomphe. En rappel, il avait chanté *J'veux pas qu' tu t'en ailles* de toute son âme. Déchirant. J'en avais chialé. Pour moi, d'abord, parce que j'étais en pleine rupture avec Marie. Et puis surtout parce qu'il avait eu l'idée géniale d'interpréter sa chanson sous une pluie de confettis. Inoubliables, le contraste et l'émotion ! Alors j'en parlerai à Michel pour lui faire comprendre, d'âme à âme, ce que je vais ressentir quand je chanterai ma chanson gaie en fin d'émission.

*J'veux pas qu'tu t'en ailles...* Comme ça rime bien la douleur qui me tord les entrailles. Comme je vais en baver tout à l'heure, au moment des sourires obligatoires et des enthousiasmes de circonstance ! Comme je vais les serrer les poings et les dents ! Parce que, crois pas, derrière le rayonnement de façade, à chaque seconde, l'image de Maman, là-bas, viendra me catapulter de grands coups de poing dans la gueule. Un combat en quinze rounds, les quinze numéros qui s'enchaîneront sous les bravos. Et j'encaisserai... j'encaisserai... Sans envisager une seule seconde l'arrêt du match. Le jet de l'éponge. L'explosion du désespoir et de sa putain de politesse dont je parlais plus haut.

Imagine si je craquais, en pleine bagarre !

— Mesdames et Messieurs, on s'arrête. J'en peux plus. Allez les acrobates, rentrez chez vous ! Le spectacle est terminé. Pourquoi ? Parce que j'en ai envie. J'ai pas d'explications à vous donner.

Mais non, bien sûr que non. Ça ne se fait pas. Ça ne se dit pas. Ils appelleraient ça un pétage de plombs. Comme s'il y avait encore de la lumière ! Il n'y a plus de lumière. Je suis sur groupe électrogène. En secours. Et je peux te dire que même si mes plus proches me savent touché, ils ne peuvent pas imaginer à quel point, tant je la joue bien la force de résistance. J'ai qu'une envie : me coucher là, sous la table, et ne me lever que pour aller à l'enterrement.

Je te le dis à toi, parce qu'on est ensemble depuis quinze jours et qu'il faut bien que j'en parle à quelqu'un. Et que quelqu'un capable de vraiment l'écouter autour de moi, il n'y a pas ! Parce que toi, tu es muet, invisible, imaginaire. Mais eux, les tout proches, ils vont me répondre, chercher les mots justes, les bons regards et j'aurai la sensation d'être un mendiant de réconfort. À votre bon cœur m'sieur-dames ! Et ça, je peux pas faire. Je sais pas... Et tant pis pour ceux qui liront ces lignes en s'indignant :

— Mais nous étions là... Tu aurais pu nous dire, te confier, ça t'aurait fait du bien.

Mais qui te dit que je veux qu'on me fasse du bien ?

Qui te dit que je veux l'apaiser, cette douleur ? Ce déchirement est l'étalon du lien extraordinaire qu'il y a entre Maman et moi. Alors qu'elle me transperce, qu'elle me déchire, cette douleur ! Plus elle me tordra, plus j'aurai la confirmation de l'absolue fusion qu'il y a entre elle et moi. Plus j'aurai la preuve que j'ai eu raison de claironner à tout le monde tout au long de ma vie que Maman, c'est ma plus belle histoire d'amour.

125

Je l'ai eue au téléphone ce soir, en entrant dans ma loge à Bry-sur-Marne après la journée de répétition. À la télé, se terminait l'émission des vingt ans d'anniversaire de *Questions pour un champion*. Le rendez-vous quotidien des vieux, entre autres. La messe des « arthrosés », des « rhumatismés ». L'immanquable des maisons de retraite. Excuse-moi, Julien, c'est un peu réducteur, mais tu sais bien que tu cartonnes plus à la « Pension des fauvettes », qu'à la « Cité des Quatre Mille » !

Elle était fière. Son petit avait gagné à son jeu préféré. Elle était déjà au courant du résultat puisque j'ai enregistré l'émission il y a plus d'un mois, et que je n'ai pas pu m'empêcher, mon « triomphe » acquis, de la prévenir en premier, évidemment. N'empêche, ça passait ce soir. Et ce soir encore, la France sait qu'il a aussi de la culture, son petit bâtard. Tu sais le déconneur primaire qui chante des refrains débiles et qui rigole comme une vache en rut ! Je te rassure, Maman, ça ne changera rien à mon image. Ils continueront quand même à me prendre pour un inculte partouzeur, bouffeur de saucisson, sans l'ombre d'une quelconque finesse.

Il faut dire que je l'ai bien cherché avec mes refrains de salles de garde, mon jargon de tonton de mariage de province et mes confessions sexuelles sans masque. Mais je ne te cache pas que, chaque fois (puisque c'est la troisième) que j'ai eu le plaisir de gagner à ce jeu d'intelligence et de savoir, nous avons eu Maman et moi la douce sensation de sentir nous démanger le doigt du milieu. Bien tendu. En direction de ces parangons de culture hautains et dédaigneux, même si mon manque de lettres apparent n'occulte pas le fait que je sais très bien que les deux adjectifs précités sont pléonastiques !

Je ne fais qu'appliquer une fois de plus sa recommandation : « Mieux vaut passer pour un con, que pour un salaud ! »… Et encore, j'ai eu le choix, ce qui n'a pas toujours été le cas de ceux qui m'ont jugé. Le mal qu'ils m'ont fait a toujours été majoré de celui que ça lui faisait à elle. Double tarif ! C'est sûrement la chose que je regretterai le plus à l'heure du bilan : avoir imposé à ma famille la souffrance de lire ou d'entendre les insultes qui n'étaient destinées qu'à moi. Après « la rançon de la gloire », je te propose « le revers de la médaille », comme expression toute faite à la con ! Quoique… Quel qu'en soit le revers, la médaille était quand même bien belle. Plaquée or. De quoi mettre à l'abri toute la famille.

En 1978, j'avais réussi à économiser cent mille francs. Pas mal, en quatre ans d'intermittence à haut rythme ! Maman, fatiguée des fêtes, et des amitiés impayées avait soldé le Turenne, refermé le livre des conneries à tout va, bouclé la boucle. Quelques jours avant la fermeture, j'ai déboulé en pleine nuit, de passage entre deux galas. Après l'entrecôte maison et les confidences d'usage, je lui ai annoncé le montant du pactole entre la poire et la poire. Pas le fruit, la liqueur.

C'est bien, mon petit. Mais fais attention, dépense pas tout d'un coup. L'argent c'est comme les glaces à la pistache. Si tu gobes, ça écœure. Faut déguster lentement.

– Faut surtout éviter de se les faire bouffer par les autres.

127

— Tu dis ça pour moi ? .. Tu me juges ?

— Mais non.

— Si, tu me juges... Écoute, c'est vrai que j'ai nourri des tas de traîne-patins qui me donneraient même pas un centime si j'étais dans le ruisseau. Mais je suis comme ça, et je ne changerai pas. Est-ce qu'avec moi, t'as manqué de quelque chose ?

— Jamais, il y a toujours eu à manger dans l'assiette.

— Alors ? Qu'est-ce que tu me reproches ? D'avoir bien vécu ? D'avoir partagé ?

— Non.

— Au jour d'aujourd'hui, je ne dois rien à personne... Personne. C'est vrai qu'en six ans de Turenne, j'ai pas mis un sou de côté. Mais j'ai des souvenirs fabuleux et y a pas d'impôts dessus. Et si j'ai un conseil à te donner c'est de faire pareil. Vis, profite. De toute façon, tu sais ce qu'on dit chez nous : on n'a jamais vu un coffre-fort...

— ... Suivre un corbillard, je sais... Mais je vais quand même acheter une maison.

— T'as raison, c'est ton argent mon petit, tu l'as gagné. Profite, tu l'as mérité.

— Non, pas une maison pour moi, une maison pour nous.

128

– Pour nous ?

– Oui, la famille.

– C'est gentil, mon petit, mais va pas t'embêter. Où on loue, c'est très bien. Je vais retravailler représentante. Camille a été un peu augmenté, ça va. Ton frère et ta sœur manquent de rien. C'est tes sous, pense d'abord à toi.

– J'y pense, t'en fais pas. C'est bien pour ça. Ce que j'ai, c'est pas beaucoup, mais c'est quand même pas toi qui vas m'expliquer qu'il ne faut pas le partager… Non ?

Il y a eu un long silence. Elle a passé la main dans mes cheveux. Elle a souri. Les yeux sont embués, et elle a murmuré.

– Je suis contente.

– On va être chez nous.

– Oui bien sûr. Mais pas que pour ça. Tu sais, la seule chose qui me faisait vraiment peur quand tu es monté là-haut, c'était que tu changes. Que tu redescendes… Comment dire ?… Pas pareil… Que je perde mon petit Patrick, celui de Juillac…

– Tu vois, c'est pas arrivé.

– Donc ça n'arrivera pas.

– Pas sûr !

— Si… Depuis ce soir j'en suis absolument sûre.

Au bout de quarante-trois ans de « pas chez soi », j'ai offert à Maman et Camille un bout de paradis à crédit. Ouvert à toute la famille bien sûr, rien que la famille. Toute une terre rien que pour eux, avec une fermette dessus, et moi dedans bien sûr, de temps en temps, en refuge, en transit.

— J'aurais préféré un château, mais j'ai pas assez pour l'instant.

— T'inquiète pas, a souri Maman, ça le deviendra.

Et ça l'est presque devenu. Elle a tout dessiné, tout décidé. Les trois petites pièces d'origine de la ferme se sont fondues en une seule. Spacieuse, familiale. Le socle. Et autour, au gré de mes succès, elle a rajouté le reste. Toute mon âme est là-bas. Bien cachée au bout de la piste d'atterrissage. Ça fait bientôt trente ans que la longue table en bois a pris racine au milieu de la cuisine. C'est l'épicentre de ma vie. L'œil du cyclone.

C'est toujours Maman qui s'assoit en bout.

Un soir d'été 1980, au moment de se lever de la table après une conversation banale sur mes activités artistiques, elle a eu un sourire de satisfaction comme je lui en ai rarement vu. Et un regard merveilleusement apaisé.

Il y eut un long silence, et j'ai murmuré :

— Merci.

Elle s'est levée lentement, s'est dirigée vers sa chambre et a lancé sans se retourner :

— Je ne vois pas de quoi tu parles.

Ce dont je parlais était le secret dont je te confiais, hier, que j'hésitais à te le faire partager. J'ai bien réfléchi. Je vais tout te dire.

C'était donc pendant mes années Pigalle. Toutes mes nuits passaient par les rues en pentes qui bordaient la place. De bars à putes en recoin sombres, je m'étais fondu dans la faune. Sans m'y perdre, du moins le croyais-je. Je commençais à être vraiment connu de la France entière, et cette petite célébrité, ma bonne humeur, et mon nouveau terrain de jeux m'avaient imposé des amis très spéciaux. Des infréquentables aux mains tatouées de trois points. Des durs à la tchatche grasse, aux cuirs Perfecto ou aux costumes trois pièces bourrés de pascals (les 500 francs de l'époque).

Nous débordions parfois ensemble du quartier, pour nous réfugier dans des bars des Batignolles, des tripots de Saint-Lazare. Nous caressions les mêmes filles, buvions dans les mêmes verres. Le plus souvent on finissait par des chansons, vautrés sur des pianos luisants de whisky renversé et de fond de teint pas cher. Ils me racontaient leurs coups, leurs cavales. Je leur parlais de mes tournées, des stars que je côtoyais.

Une nuit de débauche ordinaire, je me fis deux nouveaux amis. Un gros hilare et petit tordu, tout sec. Ils m'avaient branché à la rigolade, à la sympathie. Je les ai tout de suite surnommés « Laurel et Hardy ». Vers deux heures du matin, le petit me fit une proposition qu'il devait savoir que je ne refuserais pas.

— On doit aller rejoindre des copines dans une partouze, tu veux venir avec nous ?

— Dans une boîte ?

— Non, chez l'habitant. Et du beau. Dans le XVIᵉ, que de la salope qui sent bon !

Évidemment, je ne me suis pas fait prier.

— Laisse ta caisse ici, a proposé le gros, c'est pas facile à trouver, on te ramènera.

— Banco !

Nous nous sommes dirigés vers les beaux quartiers, et passé la porte Dauphine, la voiture s'est engouffrée dans le parking de l'avenue Foch. On s'est garés au premier sous-sol et, au moment de sortir, le gros a ouvert le vide-poches pour en sortir un tissu noir et des menottes.

— Ah, d'accord, ai-je rigolé, soirée sado-maso ! Je vous préviens c'est pas trop mon truc, mais si, comme vous le dites y a du matos en pagaille, je vais bien en trouver une qui préfère le poireau sans la ficelle !

Je m'attendais à un éclat de rire. J'ai vu leurs visages se fermer d'un coup. C'est le petit qui a parlé.

— Écoute Patrick, on veut pas te faire de mal… Alors quoi qu'il se passe, fais ce qu'on te dit sans résister.

J'étais abasourdi. C'était quand même pas un kidnapping ! J'étais tout juste connu, et mon compte en banque, comme tu le sais, était loin d'être pharaonique.

Ils ouvrirent le coffre. Il y avait un homme dedans. Vivant. Bâillonné, menotté. J'ai pu croiser ses yeux effrayés quelques secondes seulement. Ils me mirent le tissu sur les yeux en guise de bandeau et me passèrent les menottes dans le dos avant de me demander de le rejoindre dans le coffre. J'ai obéi sans résister comme ils me l'avaient conseillé. L'autorité et le calme dont ils faisaient preuve m'impressionnaient et me rassuraient presque. Si ces mecs avaient voulu me faire vraiment du mal, ils m'auraient cogné d'entrée. C'est qu'il devait y avoir une suite. Peut-être pas forcément violente. Alors autant subir sans esclandre.

Nous avons roulé une bonne demi-heure. Aujourd'hui, pour expliquer la cause supposée de ma claustrophobie maladive, j'évoque toujours un accident de voiture où je serais resté coincé. C'était bien une voiture, mais il n'y a pas eu d'accident.

Arrivés à destination, ils ont ouvert le coffre et m'ont fait sortir. Puis ils m'ont libéré des menottes et du bandeau. J'ai découvert autour de moi un chantier en construction. Nous n'étions plus dans Paris. Une banlieue quelconque. Des maisons au loin, mais là, rien que des engins, des grues, des dalles et des pans de mur inachevés. Il y avait aussi le bruit d'une bétonnière qui tournait.

Ils refermèrent le coffre sans faire sortir l'autre occupant. Pendant tout le voyage, j'avais respiré son odeur âcre de transpiration. Il avait gémi sans arrêt. J'avais une terrible envie de vomir.

Une autre voiture était garée tout près. La vitre était baissée. Un homme dont je ne distinguais pas le visage était assis à l'avant. J'entendis juste sa voix ordonner :

— Viens t'asseoir dans la voiture à côté de moi.

Cette voix ne m'avait rien dit. Par contre, le visage, je le connaissais par cœur. Il m'ouvrit la portière passager avec un léger sourire.

— Merde, « l'Architecte » ! lançai-je, ahuri.

C'était bien lui. Le copain du « Grand », avec qui j'avais tant rigolé au Turenne. Un des meilleurs amis de Maman. Un de ceux avec qui j'aurais dû « monter sur un coup » en novembre 1974, avant que Maman n'intervienne.

Il commença à parler d'un ton très posé.

— Voilà, Patrick, tu sais que le « Grand » est au trou pour un moment, en attendant c'est moi qui fais ses commissions.

Il prit un temps et ajouta, grave :

— Tu déconnes petit, tu déconnes… Déjà pour la petite que tu as retirée du tapin, c'était limite. Heureusement que madame Juillet t'avait à la bonne.

J'ai osé articuler mes premiers mots :

— T'es au courant de tout.

— Évidemment. Oh, pour l'instant t'as rien fait de mal, mais t'as des fréquentations bidons… Et dangereuses, surtout.

Pour la première fois, il m'a regardé dans les yeux.

— Il y a sept ans, on t'a dit que t'étais pas fait pour ça. On croyait que t'avais compris. Écoute-moi bien ! Ce que je vais te dire, c'est le « Grand » qui te le demande : va aux putes, rigole, mais te fixe pas. Depuis des semaines tu côtoies des mecs dont tu soupçonnes pas la connerie. Je comprends que ça te fasse vibrer. Moi aussi ça me l'a fait. Mais moi, je sais faire que ça. Putain, t'as la chance de commencer à être connu ! Bientôt tu seras une grande vedette. Va pas gâcher ça ! Même si ça te fait bander, joue pas à ces jeux-là. Encore une fois, t'es pas fait pour ça. Alors monte de temps en temps à Pigalle, comme les mecs qui viennent pour le salon de l'agriculture, mais joue pas avec les caïds, c'est pas ta place.

J'ai baissé la tête, et j'ai demandé :

— Pourquoi tu n'es pas venu me le dire tout simplement ? Pourquoi tout ce cinéma-là ?

— Parce qu'il faut que tu comprennes vraiment ce que c'est que ce milieu. Tu crois que c'est du folklore, comme dans les films, mais t'es dans la réalité et le « Grand », qui t'aime beaucoup m'a demandé de te la montrer dans ce qu'elle a de plus dégueulasse. Désolé… Tu sais, le mec dans le coffre qui a voyagé avec toi, c'est une vraie salope. Je te dirai pas pourquoi, mais crois-moi sur parole. Tu l'as eu contre toi pendant trente bornes, maintenant tu vas le voir crever.

Rien que ça, j'ai commencé à trembler comme une feuille. Il avait raison, j'étais pas fait pour ça !

La bétonnière s'était arrêtée. Le silence n'était troublé que par les gémissements de la future victime que « Laurel » et « Hardy » avaient sortie du coffre. Ils le poussèrent dans une excavation profonde au milieu d'une dalle, et approchèrent la bétonnière.

J'ai balbutié :

— Vous le tuez pas avant ?

— Il mérite pas.

Au début, j'ai regardé, tétanisé, et puis j'ai couru dix mètres plus loin pour ne plus voir. Je m'en suis vomi dessus. Quand je suis revenu vers eux, l'homme avait disparu et le trou était comblé.

« L'Architecte » m'invita à monter à l'avant de sa voiture.

— C'est moi qui vais te ramener. Remets quand même le bandeau. Au cas où tu n'aurais pas compris la leçon, je préfère que tu ne saches pas où on est.

— T'inquiète pas, j'ai compris.

— Vu ta couleur, je pense que oui. T'es blanc comme un linge.

Il me fit un premier vrai grand sourire en me tapant dans le dos.

— Allez, ça va aller... Tu comprends pourquoi on m'appelle « l'Architecte » ?

Je ne lui ai posé qu'une question avant de démarrer :

— La leçon, ça vient du « Grand » tout seul, ou... de Dédée qui le lui a demandé comme la dernière fois ?

Il m'a juste répondu :

— T'en as de la chance qu'on te protège à ce point, toi !

A partir de cette nuit, je n'ai plus fréquenté les hors-la-loi que loin de leurs bases, par pure amitié, sans ambiguïté. Mes désirs de devenir leur égal se sont envolés. J'en serai toujours reconnaissant au « Grand » et à « l'Architecte »...

Et Maman ? Pour quelle raison lui en serais-je reconnaissant aussi ? Elle m'a bien dit :

— Je ne vois pas de quoi tu parles.

Une Maman ne ment pas plus à ses enfants que ses enfants lui mentent.

Tout va bien, Maman... maintenant que Lily est là, on va passer des Noëls encore plus beaux

## PARIS.
### Nuit du 28 au 29 octobre 2008.

Je ne t'ai pas écrit, la nuit dernière. Trop fatigué. Rentré trop tard, trop usé, après l'enregistrement. Comme pressenti, j'ai confié ma détresse à Jonasz. Comme prévu, j'ai chanté, souri, animé, mené le bateau avec mon enthousiasme habituel. Comme d'habitude les confettis ont inondé la scène. Un spectacle exceptionnel. La routine.

J'ai appelé Maman cinq fois depuis hier soir. En inventant chaque fois un prétexte, pour éviter que ces coups de fil plus nombreux qu'à l'habitude n'éveillent des soupçons. En fait, j'ai envie de lui parler tous les quarts d'heure, mais je lutte. Pour que cette sollicitude inhabituelle ne l'alarme pas.

Au dernier appel, il y a une heure, je lui ai transmis les amitiés de Michel Drucker. Il m'en avait effectivement chargé, mais j'aurais pu attendre demain. Je voulais entendre sa voix. La diction. L'enrouement éventuel, tester le sens des mots. Je te parlais récemment de sirène d'alerte, c'est vraiment ça. Ils doivent ressentir exactement cette angoisse-là, pendant une guerre, les civils à la merci de la moindre attaque aérienne. Une appréhension permanente. Une boule confuse au ventre. Entre terreur et résignation. L'inéluctable et sa question jumelle : à quel moment la bombe va-t-elle me tomber sur la gueule ?... Pas encore apparemment, bien que j'aie trouvé le rythme des mots plus incertain, le ton plus las. Mais je ne peux empêcher mon cœur de s'accélérer à la moindre hésitation dans l'élocution, au moindre souffle plus lourd

— À tout à l'heure, mon petit, a-t-elle murmuré avant de raccrocher.

Ah, ça, j'en avale des « mon petit », depuis quelques jours ! Bien plus qu'avant. Comme si ma voix trahissait ce que je suis redevenu. Son môme. Son petit Patrick de Juillac. Comme si elle savait que je sais. Comme si elle avait compris depuis longtemps que je vais de moins en moins bien parce qu'elle va de plus en plus mal. Comme si elle voulait me protéger du désespoir. Alors « mon petit », bien sûr, comme chaque fois qu'elle m'a vu m'inquiéter pour elle.

Michel Drucker est un ami. Il connaît mes souffrances intimes comme je connais les siennes. Il connaît bien Maman. Il accompagne ma douleur comme je me suis fondu dans la sienne à la mort de son frère Jean. À la fin de son émission, dans laquelle j'étais invité, dans la loge, il m'a juste dit :

— Je suis avec toi.

Pudique. Sincère.

— J'aime bien comme tu as été ce soir, a-t-il ajouté.

C'est vrai que, pendant l'interview sur le canapé rouge à l'occasion du dixième anniversaire du *Plus grand cabaret du monde*, j'ai commencé à montrer ce que sans doute j'étalerais totalement quand Maman sera partie. Et Michel a bien compris que ce n'était pas un état d'âme passager, une résolution de circonstance, comme nous en avons tant quand nous écumons les plateaux de télévision pour nos promotions ordinaires.

En quarante ans de service, il les a tant connues ces annonces de projets, de changements de vie, d'objectifs nouveaux qui se diluaient une fois la vente du CD ou du film assurée. « Je vais bouleverser mon image… Je prends une année sabbatique… Cette fois c'est décidé je me retire du circuit, etc. ». Tout ça histoire d'avoir quelque chose à révéler, un scoop pour journaux à potins le temps de la promo. Et à la promo suivante, un autre scoop, une autre révélation.

Là, j'ai bien lu dans le regard de Michel que ce que je lui avouais de mes envies futures sentait le vrai, l'inéluctable. Et pour cause ! Il me connaît comme il se connaît. Il sait ce qu'une vraie fracture engendre quand le miroir est un écran. Il la connaît par cœur cette immense lassitude du personnage public, surexposé quand le tragique vous percute de plein fouet. J'ai vu Michel se voûter, s'endurcir, devenir menhir quand son frère, son double, est mort brusquement, sans prévenir. Depuis je le sais ailleurs, insubmersible et déterminé plus que jamais à être ce qu'il est jusqu'au bout. Ne pas lâcher la barre pour que le frangin soit fier. « Mourir à la télé », comme il l'a avoué lui-même. Molière cathodique. Et envolées les velléités de redevenir journaliste d'abord, les envies de présidences de chaîne, de présentation du journal. Non, juste achever d'être lui. Légendaire. Unique. Aimé surtout. Épuisé d'avance des critiques à venir en cas de remise en cause ratée. Rester Drucker, le sphinx, *in memoriam* !

Moi, je lui ai confié en exclusivité, face caméra, mes envies d'après :

— Je pense qu'à la fin de mon contrat dans deux ans, ma vie changera. Si on me le permet, je continuerai mes émissions à un rythme moins soutenu. Mais surtout, je vais donner de mon temps pour m'occuper des autres, ceux qui souffrent, les oubliés d'une société qui me hérisse de plus en plus  Je veux être présent pour des associations, des malades, des bancals, des rejetés. Mais anonymement. Sans tapage. Je ne veux pas être sur la photo !

Et Michel a bien compris que ce n'était pas une lubie passagère qui motivait cet engagement. Que ce n'était pas, comme tant, un calcul de carrière. Tu sais, comme tous ceux que tu vois à la Une, photographiés dans la fange d'un enfer lointain. Le teint impeccable, maquillés de frais, tenant dans les bras le petit famélique, la fillette aux yeux morts et au ventre de poisson-lune. Le tout dans une lumière sublime de soleil couchant, à peine voilé… Pour les rides ! Ils ont pris Air France en première classe. Ça, c'est du vol ! Ils ont installé leur campement au Sheraton le plus proche. Et ils se pavanent, stars de secours, le cœur sur la main manucurée sans ampoules, dans des favelas incertaines. Escrocs ! Bandits de petits chemins ! Voleurs de misère ! Les pires de tous. Se composant la plus touchante des afflictions.

142

Ne t'en fais pas, Maman, je ne serais pas de ceux-là. Je ferais de mon mieux au jour le jour, mais sans tapage. Bienfaiteur clandestin.

– Pourquoi alors l'avoir annoncé à la télé ? peut me rétorquer l'indélébile crétin qui ne croit en rien.

– Pour qu'on m'appelle, qu'on me sollicite, connard ! Pour qu'ils sachent qu'à partir de bientôt, j'irai partout où je pourrai les serrer dans mes bras et leur donner tout l'amour qui va me rester en stock.

– Et pourquoi, tu ne l'as pas fait avant ?

– Parce que j'aimais trop Maman.

Eh oui ! T'imagines le trop-plein qui va me rester. Déjà, à la mort du petit, j'ai commencé à distribuer, là je vais attaquer le libre-service.

Pour que tu comprennes mieux je vais être obligé d'entrer dans le « lithurgique ».

En 1990, la mort de mon fils a confirmé le regard que je portais depuis longtemps sur la symbolique de la crucifixion. Cette interprétation n'engage que moi et elle peut paraître saugrenue. Mais les prêtres à qui j'en ai parlé m'ont tous accordé le bénéfice du doute, en me précisant que c'était une option à laquelle ils n'avaient pas pensé, mais qui était envisageable. Je précise que mon agnosticisme supposant que pour moi, Dieu existe ou pas, je me suis appuyé sur le cas où il existerait.

Pour moi, Dieu, en sacrifiant son fils sur la croix, a voulu montrer à l'homme que l'immense réserve d'amour dont il dispose ne doit pas se concentrer sur ses tout proches. En perdant ce qu'il est censé aimer le plus, l'être humain doit prendre comme un signe annonciateur de charité universelle le deuil le plus terrible. Je vulgarise :

– Je te prends ton fils parce que tu concentres la plus grande partie de tes capacités d'amour sur lui. Maintenant que tu ne l'as plus, donne tout ça aux autres ! Et ne proteste pas, je l'ai bien fait avec le mien !

Cette symbolique m'est personnelle. Elle est ce que j'analyse, ce que je ressens au plus profond de moi. Et c'est en toute logique que le départ annoncé de Maman sonne la cloche d'un nouveau départ. Un altruisme encore plus concret. Délesté d'un amour unique, me voilà apte à bien plus de compassion pour tous les autres.

Ne crois surtout pas que c'est la situation qui m'y renvoie par je ne sais quel opportunisme qui me ferait un pansement de fortune à la blessure. Non. Cette théorie, je la trimballe depuis toujours et même avant d'affronter le décès de mon fils. Je la défendais déjà devant mes potes en classe de philo. La seule chose que je n'imaginais pas, c'est d'en être un jour le sujet premier.

Me voilà donc en chemin pour la dernière fraction de mon existence, si le destin m'en accorde le temps. Un premier tiers préparatoire : l'ascension humaine et sociale au rythme des acquis matériels. Un deuxième tiers, après la mort du petit, de jouissance contrôlée en cultivant jour après jour mon humanisme. Un troisième tiers libérateur : trouver enfin le sens de ma vie dans une compassion active et anonyme.

Mon Dieu, que tout cela est loin du petit bonhomme en mousse et de ma bite en étendard dans les clubs échangistes !

Rédemption ? Dinguerie totale ? Réflexe primaire d'un fumeur excessif qui craint pour le salut de son âme à courte échéance ? À toi de juger, mais quelle que soit ta sentence, je m'en contrefous. Je sais ce que me commande le plus profond de moi. J'ai toujours agi ainsi. En suivant mon instinct, et lui seul. Quoi que cela me coûte. J'en ai eu tant, de ces jugements péremptoires, me reprochant ceci, mettant en doute cela. À chaque croisée des chemins, au moment de choisir ma direction, je ne me suis fié qu'à une seule boussole : mon intime conviction. Crois-moi, il m'en a fallu de la rigueur pour n'écouter que moi. Repousser les conseilleurs en tout, les suspicieux de service, tous ces guides qui nous égarent. Ne faire confiance qu'à mon seul jugement m'a offert l'avantage, quand je me trompais, de n'en vouloir à personne. C'est une des clés de mon équilibre et certainement de ma réussite. Et c'est encore un cadeau de Maman.

— Ne te laisse dicter ton chemin par personne, m'a-t-elle toujours dit.

— Même pas par toi ?

145

— Moi, je ne te dicte rien. Parfois je me fâche, parfois je te conseille, mais est-ce que je t'ai jamais imposé quelque chose ?

— Jamais.

— Du jour où tu es né, tu t'es appartenu. Tes choix t'appartiennent aussi. Ça ne veut pas dire ne pas écouter les autres. Mais pour la décision finale, il n'y a que toi qui peux trancher. Seul, en restant fidèle à ce que tu es. Sans te laisser manipuler ni par l'intérêt ni par un effet de mode. Sois toi. Même si on doit se moquer, même si tu dois choquer. Et, en cas d'échec, fais-moi le plaisir d'endosser toujours tes responsabilités. Ils sont tellement nombreux à les rejeter sur les autres.

— Là, tu dictes.

— Non, je conseille, tu en feras ce que tu voudras.

— Je risque d'y laisser des plumes.

— Et alors ! C'est avec ces plumes-là qu'on fait les meilleurs oreillers. Tu dormiras la conscience tranquille. Et ça, c'est le plus beau cadeau que tu puisses te faire !

Elle me parlait comme ça Maman, entre deux tartes dans la gueule d'un flic et une roue arrière en moto à l'entrée d'une boîte de nuit. Notre histoire d'amour est faite de mots, plus que de câlins, de silences appuyés plus que de leçons de morale. Elle ne m'a pas enseigné les belles-lettres, le tact, la tempérance, l'élégance. Ce n'est ni un exemple, ni une icône.

Elle aurait sûrement pu faire mieux.

Je ne la remercierai jamais assez de ne pas avoir fait pire !

Cette nuit, Paris pleut. J'aime bien. Le bruit des ruisse-llements dehors m'a toujours rassuré. Vu les circonstances, je devrais m'en inquiéter, mais ce soir je n'ai pas le cœur aux présages.

Et si on repartait dans les années 1980 ?

Le début de cette décennie a certainement été le plus violent de ma vie au quotidien. De 1980 à 1985, je n'ai rien vu passer. Enfin si, mais dans un orage permanent si intense que je ne me souviens d'aucune image stable. Des scènes à Pigalle, ça bougeait tout le temps ! Ça explosait, ça vibrait, ça tanguait surtout au tempo de l'alcool. Les galas se succédaient à un rythme infernal. Il n'y a pas en France une ville de plus de trois mille habitants où je n'ai pas traîné mon spectacle. J'ai connu, parcouru, tous les recoins cachés, les bouges sordides, les trottoirs les plus fréquentés la nuit. J'ai écumé, éclusé. Toujours en limite de rupture. Mais sans jamais oublier le coup de téléphone de n'importe quelle heure à Maman. Parfois deux.

– J'ai fait un super-spectacle à Lyon. J'ai traîné un peu, il est trois heures du matin, je vais quand même rentrer sur Paris.

— Tu es fou ! Mais pourquoi ?

— Parce que j'ai envie.

— D'accord… Tu m'appelles en arrivant ?

— Promis.

Je repassais par Martel de temps en temps, entre deux étapes. Nous arrivions en pleine nuit avec les musiciens. Maman nous attendait, la poêle déjà chaude et le couvert mis. Il était fréquent qu'on finisse le jour levé, plantés dans le pré voisin, cernés de cadavres de boissons fortes, des filles faciles en bandoulière, chantant à tue-tête et faux des chansons brésiliennes. Et dès le lendemain, on repartait vers de nouvelles scènes et de nouveaux comas éthyliques.

— Tu devrais te reposer un peu, et ralentir l'alcool, mon petit !

— T'inquiète pas. Je profite. Tu sais, dans nos métiers, ça peut s'arrêter du jour au lendemain, alors je veux rien laisser passer. J'aurai bien le temps de me reposer quand ça marchera plus.

— Vu comme ça, évidemment ! De toute façon, je te fais confiance, tu le sais bien. Je sais que tu sauras dire « stop », avant d'aller trop loin.

— Bien sûr.

— À propos de confiance, c'est toujours d'accord pour les canards ?

— Évidemment.

— Tu sais, je ne fais pas ça pour gaspiller ton argent. Ce que tu m'as avancé, dès que ça marche, je te le rends.

— Qu'est-ce que tu veux me rendre ? C'est à toi autant qu'à moi. Et puis de toute façon même si on perd, on perdra pas beaucoup. Je te fais confiance aussi.

En fait, « La ferme de Patrick Sébastien » (vente de magrets, de confits et de foies gras de canards élevés par sa Maman) a été une bérézina ! Maman s'était mis dans la tête de rentabiliser mon succès avec des produits locaux. Pas pour faire fortune. Juste pour que l'argent que ça rapporterait paye tous les frais de la propriété de Martel. En clair, pour ne pas être entretenue par son fils, comme déjà quelques mauvaises langues le lui reprochaient.

Putain de fierté ! Putain d'orgueil ! Putains de commères ! Maman s'est accrochée jusqu'au bout dans cette affaire qui ne pouvait pas marcher. Elle avait tout calculé. Tout. Sauf la jalousie des concurrents voyant débarquer quelqu'un qui n'était pas du bâtiment. Qui plus est, le battage médiatique que mon nom avait permis de faire autour, avait, tu t'en doutes bien, suscité des rancœurs irréversibles qui ont un écho même encore aujourd'hui. Et pourquoi leur en vouloir ? Ils défendaient leur terrain de chasse. Et voir débouler au milieu de leurs palmipèdes un clown qui n'avait pas besoin de ça pour vivre leur était insupportable. Ça, plus la générosité chronique de Maman nous a menés à la catastrophe.

Elle aurait pu lâcher l'affaire bien plus tôt sans trop de dommage, mais c'est vite devenu une question d'honneur. Elle ne s'est plus battue pour redresser une affaire qui ne pouvait plus être sauvée, mais pour respecter la confiance que je lui avais faite. Et ça m'a coûté des millions. Elle en était malade. Pendant des mois et des mois, je lui ai fait croire que je la croyais quand elle me disait qu'elle allait s'en sortir. Je savais depuis longtemps qu'on plongeait dans le gouffre. Comme me disait Olivier, qui était devenu outre mon secrétaire, le gérant de mes profits : « On n'est pas loin de Padirac, c'est raccord ! ». Il ajoutait parfois : « Ne te mets pas Martel en tête. » Et on rigolait comme des bossus. Je travaillais comme un dingue, je n'avais presque plus une thune à cause de la catastrophe « canardesque », mais on rigolait. Parce qu'on savait que tout ce qu'on devait à Maman valait bien plus que n'importe quel compte en banque.

N'empêche, il a fallu trancher. Je n'ai jamais vu Maman aussi détruite que le jour où on a décidé d'arrêter les frais. L'explication a été d'une violence extrême. Je voyais quelqu'un se débattre dans des sables mouvants, alors forcément, je lui expliquais qu'il fallait accepter l'échec sans soubresauts. Elle hurlait. L'alcool aidant, j'ai fini par hurler aussi. On s'est dit des horreurs dont ni elle ni moi ne pensions le moindre mot. Ça s'est fini par des claquements de porte et des démarrages en trombe. Une vraie scène de ménage.

Quelques jours plus tard, tout était rentré dans l'ordre ou presque. Maman en a gardé toujours une cicatrice à vif. Ne pas pouvoir respecter la confiance que je lui avais faite l'a fait vieillir d'un coup. À quarante-cinq ans. Elle n'a pas changé physiquement mais son œil bleu a pris une autre couleur. Plus sombre. Ce n'est pas une image, on peut le remarquer clairement quand on compare les photos d'avant et d'après. Et même les succès télévisés n'y changeront rien. Le bleu ciel restera bleu marine.

En janvier 1984, j'ai conçu et animé mon premier show télévisé rien qu'à moi. Depuis longtemps Maman était déjà fière, à chaque apparition chez Guy Lux, Drucker, ou les Carpentier. Mais là, le chef, c'était moi. Son petit Patrick. Ça s'appelait *Carnaval*. Un événement. Plus de vingt millions de téléspectateurs, pour cette émission déjantée qui fracassait tous les codes. Les artistes, les acteurs, les journalistes, y étaient utilisés à contre-emploi. Ce sera même la première émission à mêler politique et show-bizz. Jospin y a chanté, Chirac est venu s'y voir imiter, Toubon s'est fait transpercer le bras par un fakir, etc. (Ce n'est pas ce dont je suis le plus fier, tant j'ai ouvert une brèche qui aujourd'hui a tourné au systématique et au ridicule.)

Juste avant de rentrer dans l'arène, en direct, ce soir-là, je me souviens du dernier moment de solitude, cigarette au bec, tout tremblant, à la fenêtre de la loge au troisième étage des Buttes-Chaumont. Évidemment, mes pensées ne voyageaient que vers une seule personne : Maman, restée chez nous devant la télé.

À cette occasion, j'ai noté une véritable curiosité géographique : de Paris, XIXᵉ arrondissement, on voit Juillac ! Si, si… En regardant bien on voit Juillac. Il suffit pour ça d'un peu d'imagination comme le chantait Trenet dans son *Jardin extraordinaire*. Ça tombe bien, je cherchais le mot : « jardin extraordinaire ». C'est ça qui résume le mieux ces années-là : des fleurs gigantesques, des cascades de miel… Mais aussi tout un tas de mauvaises herbes et des crapauds. Poétique et cruel. Irréel !

Côté vie privée, au début de ces années-là, après une vendeuse, Marie, la « mésange » et quelques naufragées, j'ai eu aussi une nouvelle femme dans ma vie. Enfin, une à la maison. Puisque pour le reste je continuais à être d'une infidélité chronique mais avouée. Ce qui n'enlevait rien à mes débordements, mais qui m'accordait au moins le privilège de la franchise. Je ne trompais pas ma femme, je me trompais de femme… Et je ne le lui cachais pas ! Tout ça a donné une relation plus que tumultueuse, faite de départs et de retours, de scènes que mon alcool et son caractère bouillant transformaient en cyclone. Nous avions chacun nos torts. Nous nous quitterons bons ennemis. Nous nous revoyons aujourd'hui presque bons amis.

Elle s'appelait Sylvie. Je l'avais connue serveuse de bar-restaurant. Vu les endroits que je fréquentais je n'allais pas ramener une bibliothécaire ! Je l'ai épousée au mois de juin 1980. Un quart d'heure après la cérémonie, je jetais l'alliance par la fenêtre de la voiture, à la première dispute. C'est te dire les bases de l'union ! On tiendra quand même cinq ans, avec un enfant en prime que j'aime plus que tout : Olivier, mon plus grand maintenant que l'autre est parti.

Olivier, aujourd'hui, ressemble trait pour trait à la relation que j'avais avec sa mère. Orageux, brillant, écorché, tragique, démesuré, ingrat parfois, mais aussi révolté, drôle, attendrissant, passionné. Comme quoi, peut-être que les enfants ressemblent plus au moment où on les a faits qu'à l'éducation qu'on leur a donnée.

Je t'entends, madame la pédiatre, mais réfléchis bien, c'est pas sûr que je vienne de dire une connerie !

Il y a toujours eu des étincelles entre Sylvie et Dédée. Au point même que Maman a cru qu'elle m'avait envoûté pour que je les mette, elle et Camille, dehors de Martel. Ça s'est passé un soir d'été orageux dans la cuisine. En plein repas, Maman s'est levée sans rien dire, le visage fermé. Elle est partie dans sa chambre, puis est revenue dix minutes plus tard une valise à la main.

Je l'ai rattrapée dehors, sur la terrasse. C'était Marthe Villalonga dans *Nous irons tous au paradis*.

J'ai demandé :

— Tu vas où ?

— Je ne sais pas. Ne t'inquiète pas, je n'ai pris que le minimum, je reviendrai chercher le reste plus tard.

— Allez, donne moi cette valise.

— Pourquoi ? Tu veux vérifier si je t'ai rien volé ? Allez vas-y, fouille !

Et elle m'a jeté la valise à la figure. J'ai hurlé :

— Mais qu'est-ce qui se passe ?

— Il se passe qu'elle a tout bien manigancé. Je suis pas aveugle. Je le vois bien que tu vas nous jeter dehors pour qu'elle profite de tout !

— Ça va pas, non ?

C'est à ce moment-là que Sylvie est sortie. Et Maman a hurlé de plus belle.

— T'as ce que tu voulais, t'es contente, salope !… T'approche surtout pas parce que je t'emplâtre !

Il y a eu encore des éclats de voix et c'est Sylvie qui a sauté dans sa voiture et qui est partie. J'ai craqué :

— Vous me faites tous chier ! Comment tu peux imaginer une seconde que je puisse te mettre dehors ?

Et les cris ont continué… Et les lapins, à deux mètres, s'enfuyaient effrayés… Et les chiens hurlaient à la mort… Et les premières gouttes se sont mises à tomber. Les éclairs. Le tonnerre.

Quelques heures plus tard, bien après l'orage, elle a fini par se calmer. Les mamans refroidissent toujours moins vite que les nuages. C'est chimique. Pendant notre réconciliation qui durera jusqu'au petit matin, elle m'avouera qu'elle savait très bien que je ne la mettrais jamais dehors, mais qu'il était urgent qu'elle reprenne la main tout simplement parce qu'elle me voyait malheureux. Et je l'étais. Alcoolique. Coincé dans une relation tout en éclats, sans mesure, qui aurait pu dégénérer en drame à n'importe quel moment. Il n'y a que les mamans pour sentir l'irréversible avant qu'il n'arrive. C'était son signal d'alarme à elle. C'était, sans le dire : « Ce sera elle ou moi. » Ce ne sera ni l'une ni l'autre. Ça durera encore quelques mois. Mais à partir de ce soir-là, c'est comme si elle nous avait donné l'ordre, à tous les deux, d'arrêter cette union avant qu'elle ne se transforme en drame passionnel avec toutes les conséquences tragiques que ça supposait. Elle nous a sauvés du pire puisque, même en passant par d'autres éclats, nous nous séparerons sans trop de dommages.

Sylvie partira en Espagne avec Olivier. Les errances de sa vie là-bas et ma colère après mille sollicitations feront qu'il reviendra grandir à Martel. Élevé par Maman. Je sais qu'il nous en veut encore aujourd'hui de nos erreurs d'adultes. Sa mère et moi sommes aujourd'hui complices, parfois amusés, souvent excédés de le voir reproduire parfois nos démesures d'alors.

Olivier m'a reproché souvent de l'avoir confié à sa grand-mère. Il attribue parfois les échecs dont il est le seul responsable à cette éducation de campagne. Et pourtant, aujourd'hui que Maman va mal, il est là tous les jours près d'elle et je sais bien qu'au dernier jour sa peine sera immense. Et malgré les apparences, peut-être celle de Sylvie aussi, qui sait ? Il y a prescription … C'était l'orage. Alors, Gainsbourg avait-il raison ? C'était ça le bonheur ? Oh oui ! Parce que je donnerais tout pour pouvoir ce soir m'engueuler avec Maman sur la terrasse. Faire fuir les lapins. Et qu'elle gueule, qu'elle menace, qu'elle claque les portes.

Aujourd'hui, quand elle pousse celle de sa chambre, elle a tout juste la force de baisser la poignée.

Plus rien ne claque ! Pas un cri !

Rien… Le silence.

## MARTEL.
### *Nuit du 31 octobre au 1<sup>er</sup> novembre.*

Ça y est, le temps se fâche. De longues bourrasques balayent le Causse, emportant avec elles les dernières feuilles des arbres. « Strip-teasés » de force, ils se raidissent. Le bel ondoiement de leur chevelure d'été a laissé place aux cicatrices, aux brisures de chaque branche. De chaque membre, évidemment pour moi, puisque quelques mètres sous eux, Maman leur ressemble de plus en plus. L'écorce presque grise se fissure chaque jour au rythme des rides supplémentaires.

Je suis arrivé dans la nuit d'hier. Nana et Lily sont avec moi. On dirait que Maman a attendu la petite princesse pour commencer à lâcher un peu plus. Le visage s'est encore durci. Les gestes sont de plus en plus lents. À part un sourire attendri de bienvenue pour Lily, les lèvres sont restées pincées. Cet après-midi, j'ai passé un quart d'heure près d'elle sans qu'elle ait un seul regard pour moi. Comme si elle m'en voulait d'être obligé d'assister au spectacle de sa déchéance. Pour la première fois, elle s'est plainte :

157

— J'en ai marre d'être comme ça, je vais quand même pas passer toute ma vie au lit !

La souffrance morale commence à m'inquiéter plus que la souffrance physique. Et ma tête bouillonne de plus en plus. Que faire vraiment au prochain coma, qu'étrangement je sens se rapprocher de plus en plus ? Je n'ai plus, comme il y a une semaine, la certitude de l'abrègement. Si la situation se présentait là, tout de suite, je demanderais aux toubibs de tout faire pour la ramener. Même si elle ne devait avoir qu'une heure de bonheur après, ça vaudrait le coup.

— Et si cette heure devait être au prix d'autres heures de douleur ? me souffle ma conscience.

Là, je ne sais plus… Résumons : la solution de facilité est de laisser faire le destin et de ne s'en tenir qu'à ce que son corps nous imposera. C'est le plus supportable pour nous, le plus logique, sûrement ce que nous souhaitons tous le plus. Mais est-ce bien la preuve d'amour absolu que je lui dois ? Je te rappelle qu'elle est allergique à tout antidouleur extrême. En cas d'agonie consciente, on ne pourrait même pas lui administrer de morphine. Le dilemme est abominable et je commence à en vouloir aux toubibs de m'avoir dit la vérité. Bien sûr, je les ai suppliés de le faire, arguant que j'étais suffisamment fort pour l'accepter. Mentir un peu n'aurait-il pas été préférable malgré mes injonctions ? Là aussi je ne sais plus. Je ne sais plus si je souffre beaucoup ou énormément. Je ne sais plus comment me raisonner. Je me demande si je n'en fais pas trop. Finalement c'est une mort ordinaire… Oui mais voilà, notre histoire est extraordinaire et c'est ça qui complique tout.

Ma sœur est omniprésente. Nous avons beaucoup parlé et, au détour d'un souvenir, elle m'a confié qu'avec Maman, elle s'épanchait depuis toujours. Qu'elles partageaient des câlins, des « je t'aime »… Tout ce que mon extrême pudeur dans cet amour-là m'a toujours interdit. C'est vrai qu'avec Maman, on s'est toujours aimés seulement des yeux. Rarement blottis. Sûrement pas à cause d'une retenue exclusivement masculine. Je suis, bien au contraire, un embrasseur, un « étreigneur ». Je dis « je t'aime » à tout bout de champ à mes potes les plus virils, au moindre de mes coups de cœur amicaux. Mais pour Maman, c'est ainsi et ça l'a toujours été. Comme si c'était le seul de mes amours qui n'a pas besoin de preuves. La confession de ma sœur a confirmé l'unicité de la fusion que je vis depuis ma naissance. Elle me l'a d'ailleurs confié sans l'ombre de la moindre jalousie :

— Vous deux, c'est pas pareil. Je ne dis pas qu'elle t'aime plus que nous, ton frère et moi, mais c'est tellement plus complexe. Ça vient de tellement plus loin.

J'en connais tant, dans les familles, se reprochant l'un l'autre les divers degrés d'attachement, se jalousant les attentions. Pas de ça chez nous ! Il n'y a pas d'échelle de valeur dans l'amour que Maman nous porte. Et pas de concurrence dans celui que nous lui rendons. Elle nous a aimés sans calcul tous les trois, mais différemment, en apportant à chacun le plus que sa personnalité nécessitait. Cela peut paraître une nuance bénigne, mais c'est le sceau des seules mères qui méritent vraiment leur nom.

Maman a blanchi des dizaines et des dizaines de nuits sans sommeil pour nous. À chacun de nos doutes, à chacune de nos blessures. Même inavouées.

— Tu ne dors pas ?

— Non, je m'inquiète pour ton frère.

— Il a un problème ?

— Je ne sais pas, il ne m'a rien dit, mais je le sens.

Maman a passé son temps à se faire des bleus à l'âme pour nous. Presque autant qu'elle s'est fait de bleus au corps. Peut-être trouves-tu mon admiration démesurée pour une femme qui somme toute n'a fait que remplir son rôle. Mais je te jure que j'ai rarement vu, en tout cas dans notre société civilisée, une personne du soi-disant sexe faible maltraiter autant son corps pour assurer notre pitance et sa dignité.

Les cageots de pommes, les caisses de bouteilles, les meubles, les cartons, les palettes, elle a soulevé sans se plaindre bien plus que son corps l'autorisait à porter. Elle a rangé, plié, nettoyé, réparé de toutes ses forces et bien au-delà. C'est elle qui sortait les poubelles du Turenne, qui rangeait les tables, qui roulait les fûts de bière. C'est elle qui gavait les canards, transportait les conserves, emplissait et déchargeait le coffre des camionnettes. Et pas question de tenter de la suppléer :

— Je ne suis pas une mauviette, foutez-moi la paix !

Dieu qu'elles m'amusent, la plupart de celles que je croise dans mon show-bizz ! Celles qui hurlent aux cadences infernales à la troisième interview de la journée, qui se plaignent sans cesse de maux insupportables imposés par leur vie d'enfer. Tu parles d'un enfer ! Maman les résumait d'ailleurs assez bien, quoique vulgairement, quand elle en apercevait une à la télé au hasard d'une confession indécente et pitoyable.

— Celle-là, un jour, elle sentira peut-être la merde, mais elle sentira pas la sueur !

Abrupt, grossier et définitif. Mais elle pouvait se permettre. Elle a toujours considéré l'inactivité comme un luxe indécent. Ses diatribes sur le chômage n'avaient rien de réactionnaire, elle énonçait juste une évidence :

— Pour celui qui veut bosser, il y a toujours du boulot. Quand tu as des enfants à nourrir, tu dois tout accepter pour qu'ils ne manquent de rien. Ils me font marrer avec leurs diplômes et le métier qui doit correspondre. Et ça manifeste, ça réclame ! Au lieu de cracher sur le système, crache dans tes mains, feignasse ! C'est pas payé assez cher... Et alors ? Tu crois que j'ai eu le choix, moi ? Tu crois que je les ai comptées mes heures ?

Elle les a si peu comptées que le corps a fini par lâcher. Juste après les canards. À force de travaux d'homme, la ceinture abdominale a craqué. Ça s'appelle des éventrations. Elle a commencé à les collectionner. Au médecin qui lui conseillait la prudence elle répondait toujours :

— Je sais ce que j'ai à faire. Répare-moi ça vite, j'ai du boulot.

Parce que après l'échec de la Ferme de Patrick Sébastien, il n'était surtout pas question de s'apitoyer. Et pourtant j'ai tout fait pour lui imposer un repos d'abord bien mérité, ensuite conseillé par les médecins.

– Et puis quoi en plus ? Tu veux pas non plus me mettre dans une maison de retraite ?

– Il n'est pas question de retraite, Dédée. Mais prends un peu de bon temps, tu l'as bien mérité. Les canards ont coûté cher, mais il m'en reste, j'ai de quoi. Pour la famille, ne t'inquiète pas, je peux encore assurer sans problème. Quant à toi, je sais pas, moi… Voyage, profite. Je peux te payer toutes les vacances que tu veux.

C'est comme si je l'avais insultée.

– Premièrement, ne te fais pas de souci, le bon temps, j'en prends. Deuxièmement, je suis pas encore infirme, que je sache. Peut-être que les pétasses que tu ramènes n'ont rien d'autre à foutre que se pavaner au soleil, au bord des piscines que tu leur payes, mais fais-moi le plaisir de ne pas me comparer à elles. Je t'aime pour toi, moi !

Et vlan ! Un petit uppercut au passage pour mes nouvelles conquêtes.

Il faut dire que de ce côté-là, j'avais passé la surmulti-pliée. Après la fin douloureuse avec Sylvie, j'avais décidé de changer de catégorie. Adieu les secrétaires, les serveuses, les aides-comptables, les assistantes dentaires ! En tout cas offi-ciellement. Cap sur les mannequins, les bombes ! Celles que tu vois à la une des magazines ou sur la scène des music-halls les plus chauds. De la page du milieu de *Lui*, aux coulisses du Crazy Horse, j'ai commencé une chasse à l'étoile qui flattait mon orgueil en plus d'apaiser une libido déchaînée. Je dois avouer, d'ailleurs, que je m'attendais à bien plus de résistance. C'est fou les moches qu'on peut se taper, juste parce qu'on n'imagine pas que les belles voudraient ! Je ne suis pas naïf non plus. La célébrité et le compte en banque, quand on a ma gueule, ça aide énormément. Soyons francs, je continuais à culbuter de l'ordinaire, mais je ne m'affichais qu'avec des gravures de mode.

Maman a toujours été fière de mes conquêtes, quel qu'en soit le mode et sans compassion. Ses mots pour le dire étaient toujours aussi choisis :

— Si elles sont assez connes pour se laisser faire, tant mieux pour toi. Mais franchement, un cavaleur comme toi, moi j'aurais pas pu !

Je croyais qu'elle allait être encore plus fière de voir son petit bâtard collectionner des trophées à en faire pâlir de jalousie les beaux et les élégants. Eh bien, assez peu, en fait ! Et surtout avec une défiance multipliée.

— Il faut se marier dans sa rue, mon petit !

— Ça veut dire quoi ?

— Ça veut dire que même si dans le tas, il y en a une un peu plus sincère que les autres, de toute façon c'est pas fait pour toi.

– Et pourquoi ?

– Parce que plus elles sont belles, et moins tu seras beau. C'est simple, non ? Et puis, je te connais, t'es plus fait pour le dedans que pour le dehors. C'est ta nature. Alors, amuse-toi, profite, mais je ne te demande qu'une chose : essaie de ne pas faire de gosse. C'est pas forcément les meilleurs coups qui font les meilleures mères.

Alors, j'ai profité, sans faire d'enfant. Et même si j'avais eu des velléités, la tigresse veillait.

Un soir d'été, à Martel, une de mes toutes belles, en haut de l'escalier qui menait à ma chambre, a eu l'extrême maladresse de dévoiler son jeu, pensant avoir affaire à une mère comme les autres.

– On va faire un enfant, a minaudé l'inconsciente.

– Ah bon, a répondu Maman, il a décidé ça depuis quand ?

– Il hésite, mais moi, j'en veux un.

– Et alors ?

– De toute façon, on s'aime, alors je vais arrêter la pilule sans lui dire, et je suis sûre que quand il apprendra que je suis enceinte, ce sera le plus heureux des hommes. Et vous la plus heureuse des grands-mères.

« La plus heureuse des grands-mères » lui a décoché une droite au menton qui lui a fait débouler les marches sur les fesses. Arrivée au rez-de-chaussée, elle l'a relevée par le col et lui a dit, calmement en la fixant dans les yeux :

— Donne-lui ton cul tant que tu voudras. Si tu l'aimes vraiment, on en reparlera dans quelques années. Parce que je le connais, mon Patrick. Il est invivable. Si tu arrives à supporter sa folie pendant plus de deux ans, ça voudra dire que c'est peut-être du solide. Et je dis bien peut-être, seulement ! En attendant, je te conseille de pas oublier ta pilule. Un enfant ça se fait à deux.

— Et c'est vous qui me dites ça ? Patrick, vous l'avez fait un peu comme ça, non ?

Deux gifles. Sèches. Un aller-retour avec la marque des doigts.

— Patrick, c'était un accident, pas un traquenard, petite conne !

Il y aura quand même une belle que je garderai et que j'épouserai. Avec la permission de Maman ? Je pense, même si elle ne me l'a pas donnée de vive voix. En tout cas, le fait qu'elle n'ait rien fait pour m'en dissuader a dû me tenir lieu d'autorisation tacite. Ce sera ma troisième femme. Fanfan. Ex-coco girl, star sensuelle d'une publicité à succès qui m'avait bouleversé au point de dire : « Je veux ça ! » Comme un gosse capricieux à Noël. Je l'ai eue. Ensemble, et d'un commun accord, nous ferons Benjamin, mon dernier fils.

Il m'a laissé un SMS, il y a quelques jours, mon petit dernier qui aujourd'hui va sur ses dix-huit ans : « Papa. Je sais que tu te fais du souci pour Mamy. Si tu as besoin de parler, appelle-moi. Je t'aime. » C'est vrai qu'ils sont formidables les enfants qu'on fait à deux !

— Je t'appellerai, Benji, promis si j'ai besoin. Pour l'instant ça va, je parle à l'ordi et ça commence à me faire du bien.

J'en étais où déjà ? Ah, oui... À mes amours de papier glacé et à Maman qui, après la « bérézina canard » était repartie de plus belle. Sans que j'investisse quoi que ce soit, ce coup-ci. Avec même l'espoir avoué de rembourser les frais de la catastrophe.

— Ça prendra le temps qu'il faut, mais je te rembourserai.

— Mais je ne te le demande pas, c'est bon, c'est classé.

— Pas pour moi.

— Bon, je sais que quoi que je dise je n'y changerai rien, alors c'est quoi ton projet ?

— De la cuisine ambulante. J'ai déjà des engagements. Je vais faire des repas dans les salons d'antiquaires, dans les foires expositions.

Et elle l'a fait. Traversant la France de part en part. Travaillant encore sans compter les heures. C'est peut-être la première fois où elle a été réellement heureuse. Où elle s'est enfin accomplie, préciseraient les journaux féministes qu'elle déteste. Son horizon n'était plus limité à une rue de Brive ou à une conserverie du Lot. Non seulement elle voyait du monde, mais c'était du grand. Elle a croisé dans les salons d'antiquaires des homosexuels merveilleux de délicatesse qui l'ont traitée comme une reine. Des barons, des ministres conquis par sa simplicité, sa générosité. En fait, elle m'a rejoint là-haut, chez les arrivés, les nantis de naissance.

Elle installait sa cantine comme on plante un cirque. Et cette cuisine de terroir, qu'elle assaisonnait de son authenticité, faisait fureur. Bien entendu, elle a continué à confondre recettes et bénéfices, faisant, comme toujours, profiter de ses largesses tous les affamés un peu sympathiques. Par bonheur, comme au Turenne, le fait de ne rien gagner et de ne rien perdre suffira à la rendre heureuse. La seule ombre au tableau sera l'usure physique. Comme d'habitude elle torturera ses reins, son dos à assumer des charges d'homme. Elle accentuera son surpoids en profitant jusqu'à l'excès des coupes de champagne festives, en récompense des journées de travail harassantes.

En 1990, Maman allait bien, très bien.

Enfin !

Les canards avaient déserté nos mémoires. Camille le paisible, coulait des jours heureux près de ses chevaux à Martel. Michel et Françoise étaient casés et tranquilles. Je triomphais sur TF1. L'été je continuais à faire des tournées sur des podiums démesurés où des foules de dizaines de milliers de spectateurs venaient m'applaudir.

J'avais arrêté définitivement l'alcool depuis cinq ans et mes nuits de fête n'en étaient que plus sucrées. La lucidité ajoute au plaisir un goût rare et délicieux que seuls quelques repentis de l'alcool et des drogues peuvent comprendre. Elles étaient toujours aussi folles, ces nuits, mais le « n'importe quoi » en moins. Et surtout plus de réveil à l'enclume. Plus de honte de découvrir, cachée sous les draps, une fin de série ramassée en sortie de boîte dont le seul charme avait été d'être floue.

Malgré mon intempérance toujours chronique, mon couple était solidement accroché. Et pendant qu'Olivier, mon deuxième fils, poussait tranquillement dans la maison familiale du Lot, Sébastien, l'aîné, était en tournée avec moi. Éclairagiste. Les dix-sept ans seulement qui nous séparaient en avaient fait aussi mon copain.

En cette belle nuit du 14 Juillet, nous sortions ensemble d'une boîte de nuit de Palavas. La soirée avait été drôle, heureuse. Remplies de coup d'œil complices, d'éclats de rire, de fierté partagée de se proclamer père et fils à ceux qui nous pensaient seulement frères.

– Fais attention en rentrant…

– T'en fais pas, je suis super-clair. Et puis tu sais, même si je roule un peu vite je suis toujours prudent.

– Tu m'appelles en arrivant ?

– C'est pas sûr que je trouve un téléphone, mais je ferai le max.

Et il est parti sur sa Kawasaki noire.

Il n'a pas appelé… Il n'appellera plus.

Il est cinq heures à Martel, et la pluie dehors redouble d'intensité. Normal, il pleut tous les matins à cinq heures. Dans ma tête. C'est l'heure où le petit s'est tué. On s'appelle souvent à cette heure-là, Maman et moi. Il y a une question qu'on ne se pose jamais :

– Tu dormais ?

Je sais que maman ne dort pas. Je vais aller l'embrasser.

À plus tard.

## MARTEL.
### Nuit du 2 au 3 novembre 2008.

La plupart du temps, le dimanche soir, je rentre sur Paris. Cette fois, nous allons rester toute la semaine, Nana, Lily et moi. C'était prévu de longue date, mais un sale pressentiment me dit que ce n'est, encore une fois, peut-être pas le hasard. J'ai la sensation que c'est une décision du destin pour offrir à Maman notre présence en ultime cadeau d'adieu. Comme si la mort avait un planning bien étudié. C'est arrivé tant de fois que la sale faucheuse attende des retours, des dernières visites avant de faire son œuvre. De toute mon âme, je souhaite que ce ressenti ne soit que pur délire dû à mon esprit fragile, que le moindre soupçon de présage déstabilise.

Ce soir, j'ai relu pour la première fois, tout ce que j'ai écrit depuis trois semaines déjà. Mon professeur de français aurait pu annoter dans la marge : « Souvent grossier, parfois maladroit, et hors sujet quelquefois. »

C'est vrai que le langage cru m'a un peu choqué à la relecture. Les emportements faciles aussi. Mais j'ai fait le choix dès le départ de ne rien raturer, rien retoucher. Si j'ai craché ces mots c'est qu'ils me venaient ainsi. Et je n'en enlèverai aucun, même si certains me déplaisent. Le « hors sujet » paraît justifié lorsque je dérape dans mes considérations d'anarchisme discutable ou d'anticléricalisme primaire. Quoique ! Le sujet étant : « Maman, moi et l'instant », chacune de mes diatribes appartient au moment présent ou est provoquée par la situation particulière que je vis. Donc, en plein sujet.

Et puis surtout je n'écris pas pour être estimé, mais compris. Que le style soit quelconque n'importe pas. Je n'ai pas l'esprit au classement des meilleures ventes ou aux analyses des critiques littéraires, tu t'en doutes bien. Si ce livre paraît, ce sera seulement pour laisser une trace. Pour que, peut-être, une femme en découvrant la vie de Maman reconsidère sa mission de mère. Pour qu'un fils soit plus attentionné. Et surtout pour que Maman existe dans d'autres mémoires que dans celles de ses proches.

Je peux aussi rajouter à ça mon exutoire obligatoire. Si tu me vois parler de ce livre dans les médias, ce sera aussi parce que j'en aurai eu besoin, comme j'en ai eu besoin à la mort du petit. L'exposition publique, puisque j'en ai la possibilité, est une psychanalyse de luxe dont je n'ai pas l'intention de me priver. Tous ceux qui s'en sont servis t'affirmeront, à raison, que ce n'est pas une question d'impudeur, mais de survie. Quand on a la chance de pouvoir s'exprimer devant cet auditoire invisible, ces yeux et ces oreilles anonymes offrent des psychothérapies bien plus efficaces que l'écoute d'un médecin unique.

172

D'abord parce cette foule inconnue se contente d'écou
ter sans répondre. Ensuite, parce que tout psychanalyste
ne peut en aucun cas faire abstraction totalement ni de ses
propres blessures, ni de ses certitudes. Et en cas d'extrême
malheur je suis de ceux qui pensent que la confession se
suffit à elle-même. Qu'elle n'a besoin ni de conseils, ni d'ap-
préciations subjectives. Ce que je viens d'écrire fait aussi
partie des débordements discutables dont je te parlais plus
haut. Tu es libre de ne pas y adhérer, mais j'avais besoin de
l'écrire, là, à l'instant, et c'est juste ça qui est important.

De toute façon, au moment présent, je ne suis pas certain
du tout de vouloir publier ce livre. Ce dont je suis sûr, en
revanche, c'est de ne jamais détruire tout ce que je vais y
écrire. Peut-être, mes héritiers éprouveront-ils le besoin
de le sortir pour des raisons nobles ou lucratives… Là, je
m'égare vraiment… Tant pis… Je ne rature pas… Revenons
une dernière fois à l'autoanalyse de ce que j'ai écrit depuis
le début.

J'ai trouvé la chronologie quelque peu enchevêtrée.
Autant, tous les faits sont rigoureusement exacts et les
dialogues fidèles à un ou deux mots près, autant, j'ai dû
m'emmêler un peu dans les dates. Mais ça ne change rien à
l'histoire.

Hier soir, à table, j'ai demandé à Maman la date exacte
de la création de la Ferme de Patrick Sébastien. J'ai pris un
prétexte bidon, pour qu'elle ne soupçonne pas ce que je
suis en train d'écrire. D'un coup, je me suis senti sale. J'ai
pris conscience de l'impudeur de ma demande. Tu te rends
compte ! Pour une fidélité de narration, oser lui demander

de cautionner à son insu la véracité de son épitaphe. Ça ne te paraît peut-être pas important, mais je m'en suis haï. Promis, et tant pis pour la chronologie exacte, mais je ne le referai plus.

De toute façon, cette nuit, même si je le voulais je ne pourrais rien lui demander. Elle a été emmenée ce matin en ambulance à l'hôpital Purpan à Toulouse. Son ventre, déformé par les ascites, avait besoin d'urgence d'une ponction. Elle devait revenir dans la soirée, mais son extrême faiblesse a exigé qu'elle reste là-bas. Te dire que mon mal-être a augmenté est un euphémisme. Isabelle, son ange gardien, est dans un hôtel là-bas, à deux cents mètres. La surpopulation de l'hôpital ne lui a pas permis de dormir avec elle. Le téléphone est tout près de moi. Et je ne redoute qu'une chose : qu'il sonne.

Je suis coincé ici. Bien sûr, je n'ai qu'une envie : accourir au plus vite auprès d'elle. Mais ma présence l'affolerait. Alors cette nuit encore, j'attends. Et j'en crève de cette mort promise qui joue avec nous. Surtout que je sais que Maman commence à souffrir vraiment. Mais quelle volonté, quel courage !

Au moment de partir, alors que ses jambes ne la portent presque plus, elle s'est cabrée pour marcher seule, droite, sans une plainte. Et encore l'effroyable question : est-ce que je l'ai vue pour la dernière fois ? C'est étrange mais je suis plutôt optimiste. Elle s'est toujours requinquée, il n'y a pas de raison que ça ne continue pas. Et puis va savoir ? Un miracle. Pourquoi pas ? Une rémission soudaine. Totale. Ça, c'est mes petits arrangements à moi. Comme quand je vois

174

passer un jeune motard casqué. « Et si c'était Sébastien ? »
Juré, je me le dis à chaque fois. Pourquoi pas ? Je ne l'ai pas
vu mort.

Le 15 juillet 1990 au matin, je n'ai pas eu la force d'aller
reconnaître le corps de mon fils. Un ami l'a fait à ma place. Non
seulement je n'en avais pas le courage, mais Olivier m'avait
conseillé de rester sur la belle image. Je ne vais pas entrer dans
les détails de cette nuit d'horreur. Je l'ai fait dans les livres
précédents et parfois à la télé pour les raisons d'exutoire dont
je te parlais plus haut. La brutalité de la douleur, la saloperie
immonde d'un journaliste, le spectacle le soir même pour
la survie, tout ça je l'ai rabâché suffisamment pour ne pas
y revenir. Je veux juste te dire, puisque c'est le sujet, que j'ai
dû l'annoncer à Maman et que ce fut le coup de téléphone le
plus douloureux de ma vie :

— Il va falloir être forte. Il y a eu un drame.

Un long silence. Et elle a juste demandé :

— Qui ?

— Sébastien.

Un autre silence.

— J'arrive.

Je n'ai pas eu besoin de dire qu'il était mort. Elle l'a senti
aux premiers mots.

Elle était là le soir même. Mon ami avait reconnu le corps, mais ça ne suffisait pas. J'ai demandé à Maman à son retour de la morgue :

– C'est bien lui ?

– Oui, mon petit… C'est lui… Il avait l'air tranquille…

Elle laissa un silence lourd et ajouta :

– Les médecins n'ont pas voulu que je descende le drap en dessous du nez.

Nous n'avons jamais prononcé le mot, mais depuis que j'ai croisé les pompiers qui l'ont ramassé, je sais qu'il a été découpé en morceaux et décapité sur le choc. C'est un de nos plus terribles non-dits. On s'autorise des « merde », « putain », « salope », mais « décapité » est un mot que l'on ne prononcera jamais. Parce que la mort d'un enfant est infiniment plus vulgaire. La grossièreté suprême. Inacceptable. D'ailleurs, on dit veuf, veuve, orphelin, mais pour la perte d'un enfant il n'y a pas de mot.

Non… Il n'y a pas de mot !

Ainsi donc le destin a voulu nous « bâtardiser », une fois de plus Maman et moi. Nous tatouer du hors normes de l'extra ordinaire, en deux mots. Et comme si ça ne suffisait pas, il y a rajouté un cadeau. Une offrande, comme pour s'excuser de l'acharnement : un enfant. La fiancée de Sébastien était enceinte de deux mois quand l'accident est arrivé. Marie va avoir bientôt dix-huit ans. Elle ressemble à son père comme deux gouttes de… De quoi ?… D'eau de larmes… D'eau de pluie, en tout cas pas d'eau bénite.

Pour l'enterrement de mon petit, le curé a été minable. Ça peut arriver, il y a bien des comiques qui ne font rire personne. Le sermon était d'une maladresse telle que toute l'église a fini par se demander si Jésus n'était pas mort en moto, puisqu'il n'a parlé que de lui. Je me suis surpris à en sourire. Il fallait bien. Ce jour-là, j'ai porté tout le monde : Maman, Martine la mère de Sébastien, Guizie sa fiancée enceinte. Il fallait bien montrer l'exemple. Ne pas s'écrouler. Ils ont tous trouvé mon courage et ma dignité admirables. Et encore, ils ne savaient pas tout. Sauf Maman. À l'entrée de l'église de Juillac, je me suis approché de son oreille et je lui ai murmuré :

— Je l'ai vu.

— Et alors ?

— Alors rien.

La veille, autour du « socle », dans la cuisine de Martel, on avait parlé jusqu'au petit jour, en famille. Du petit bien sûr, de l'enfant à venir. Et puis, quand il n'est plus resté que nous deux, j'ai regardé Maman dans les yeux et j'ai demandé doucement :

— Tu crois qu'il viendra, le boucher, à l'enterrement de son petit-fils ?

— Je ne sais pas.

— Si jamais je le vois, je le chope et on s'explique.

— S'il te plaît, laisse tomber, ça va servir à quoi ?

— C'est le moment, non ? Ça fait trente-sept ans que je suis là et on ne s'est jamais parlé.

— Qu'est-ce que tu veux savoir de plus ? Tu n'as pas confiance en moi ? Tu crois que je t'ai menti ?

— Mais non.

— Alors ?

— Alors, je veux l'entendre de sa bouche. J'ai le droit, non ? Qu'il me donne l'explication à moi. Je ne veux pas lui faire de mal. S'il ne m'a pas voulu, il avait sûrement ses raisons, et je n'ai même pas à les juger. C'est son problème. En plus, s'il m'avait reconnu, je ne serais certainement pas où j'en suis. Alors, ne t'inquiète pas, je ne veux même pas d'excuses, je veux juste comprendre. Il ne peut pas me refuser ça. Celui qu'on va quand même enterrer, il est quand même de son sang…

— Comme tu voudras.

— Je ne ferai rien pour le trouver… Mais si je le croise… Seulement si je le croise…

Et je l'ai croisé. À peine arrivé dans les rues du village, je l'ai vu marcher à pas lents vers l'église. J'ai demandé à

Fanfan, ma femme, de descendre de la voiture et je me suis approché de lui. J'ai baissé la vitre et j'ai lancé :

– Salut… Tu vas à l'enterrement.

– Oui.

– Tu peux monter, s'il te plaît ? On va aller se garer plus loin dans un coin tranquille. Tu te doutes de quoi je veux te parler.

– Oui.

Il avait dit deux fois « oui ». Après il dira : « Non. »

– C'est pas toi, mon père ?

– Non.

– Alors c'est qui ?

Il a hésité un peu, avalé sa salive, et il a murmuré d'une voix hésitante :

– Je vais te le dire, mais à condition que tu ne le répètes pas à ta mère.

Je n'ai pas pu m'empêcher d'éclater d'un rire nerveux.

179

– C'est ça oui ! Tu me prends vraiment pour un con !

Et je suis devenu méchant :

– Tu vas me le dire ou tu sortiras pas de la voiture.

Il a hésité encore. J'ai gueulé :

– Alors ?

– … Eh bien… C'est… Raymond Forteau ([1]). Il était artiste, tu te rappelles.

J'ai laissé passer un long silence et j'ai demandé calmement :

– Alors pourquoi elle a toujours dit que c'était toi ?

– Je sais pas, demande-lui.


Je t'ai résumé la conversation qui a duré dix minutes à ça, parce qu'il n'y avait rien d'autre d'intéressant, si ce n'est sa compassion pour le drame qui me frappait.Je l'ai reposé à l'endroit où je l'avais trouvé. Je n'ai pas démarré tout de suite. Je l'ai regardé partir, voûté, vers l'église, sans se retourner. À aucun instant je n'ai cru ce qu'il me disait. J'ai réalisé à ce moment-là que j'enterrais mon fils et mon père le même jour. Pas mal pour un 18 juillet ordinaire. Remarque, il aurait pu pleuvoir, en plus. Par chance, on a eu un soleil magnifique.

Elle est pas belle, la vie !

————————

1. J'ai modifié le nom et le prénom pour ne pas nuire à sa famille.

Ce n'est que quelques jours plus tard, que j'ai appris par une de ses sœurs, que Maman avait téléphoné à Henri le matin de l'enterrement pour le prévenir que si je le rencontrais j'allais sûrement vouloir lui parler. Que lui a-t-elle dit de plus ? La sœur ne l'a pas su. Maman, s'étant soudain aperçue qu'elle n'était pas seule, s'était éloignée. Je n'ai jamais évoqué avec elle ce coup de téléphone.

En revanche, dès le soir de l'enterrement, j'ai répété à Maman l'aveu d'Henri. Elle a éclaté de rire.

— Raymond ! Ça ne m'étonne pas qu'il t'ait inventé ça. Maintenant que tu es artiste, c'est pratique. C'était le seul du village qui avait des dons pour le dessin, l'imitation, l'écriture, la poésie comme toi. Alors forcément, aujourd'hui que tu es un artiste célèbre, c'est crédible... Mais je t'assure que Raymond, il t'aurait reconnu tout de suite... Même maintenant.

Et elle a encore éclaté de rire.

Si à ce moment-là elle jouait, en plus d'être une Maman exceptionnelle, c'était la plus grande comédienne que j'ai connue.

Quand le boucher est mort, il y a deux ans, elle m'a appelé tout de suite

— Henri est mort.

— Ah bon... Ça te fait de la peine ?

— Oui, beaucoup. C'était pas un méchant garçon, tu sais.

181

— Tu m'en voudras pas de ne pas être aussi triste que toi ?

— Non, je comprends.

À aucun moment, le mot « père » n'a été prononcé. La nouvelle m'a un peu remué, mais sans plus. J'attendais ce moment depuis longtemps pour savoir ce que j'allais ressentir. En fait, rien… Ou presque. Juste la confirmation que mon père, c'est aussi Maman. Il va donc falloir que je me prépare à pleurer pour deux… Si d'ici là, il me reste des larmes…

Dehors, il pleut encore.

Il est tard. Allez, salut !

Il est temps que j'aille ne pas dormir.

## MARTEL.
### *Nuit du 3 au 4 novembre 2008.*

Et si je partais en éclaireur ! Juste avant que Maman s'éteigne. Sans qu'elle le sache. Pour qu'arrivée au bout du grand voyage, elle me dise, étonnée :

— T'étais déjà là ?

— Oui, tu vois, je ne voulais pas te laisser toute seule.

J'y ai pensé longtemps avant de ne pas m'endormir hier. Et puis toute la journée aussi. Un gros coup de déprime ? Sûrement, bien que ce ne soit pas un désir vraiment neuf. Ça fait bien longtemps que ma vie m'emmerde et que je pense à l'abréger. Tout à l'heure, à zéro heure quarante-trois, j'ai vu une étoile filante. Je n'ai même pas trouvé un vœu à faire.

Je ne prends plus qu'un plaisir mécanique aux jeux du sexe. Entre moi et Nana, le lit s'est agrandi. Chacun sa bordure. Lentement l'habitude nous a défait les doigts croisés. Ce n'est même pas de l'indifférence. Juste de l'incompréhension. Il faudrait tout refaire, tout redécouvrir. Je n'en ai pas la force. Reste un amour machinal, ordinaire.

C'est de ma faute. J'avais qu'à m'appliquer. Bien faire mes devoirs. Rendre la copie propre. Résultat, au dernier contrôle : 4/20. Recalé au certificat d'étreinte. C'est dire si la licence est loin !

Professionnellement, je fonctionne. Lucide. Le meilleur est derrière. Je ne peux plus m'améliorer et le progrès avance sans moi. La télé n'est plus faite pour les artistes. Reste la scène. Pour y dire quoi ? VRP de la déconne, non merci ! Rabâcher mes chansons gaies, pas plus. Plus envie. Trop de colère. Tiens, j'ai lu dans les programmes qu'en face du *Plus grand cabaret du monde* avec les médaillés paralympiques, dans une semaine, TF1 programmait *Qui veut gagner des millions*. Une tradition. Comme *Miss France* en face du *Téléthon*. Dès qu'il y a des handicapés, ils sortent l'artillerie lourde, les chacals ! Je suis fatigué de ces bagarres de cour d'école, des chamailleries de préau. Et puis le divertissement est devenu honteux. La mode est aux émissions culturelles. C'est le nouveau concept du service public : faire de la télé pour ceux qui ne la regardent pas !

Pour le reste, je n'ai plus que des amitiés passoires. Ça aussi, c'est de ma faute. Je peine à m'attarder tant j'ai été déçu, dépouillé. Comme disait Coluche : « Je compte mes vrais amis sur les doigts du pouce. » Et puis, il y a aussi ce grand cimetière dans la tête. Les essentiels disparus ou en passe de le devenir. Si tu ajoutes à ça que je n'aime plus vraiment sortir, boire, aller au casino et qu'il n'y a que mon vieux rugby qui m'enthousiasme un peu, tu as la photo parfaite de mon panorama intime.

Ça sent la grosse dépression, non, docteur ? Même pas. C'est bien plus posé, bien plus réfléchi que ça. Très pragmatique. Une lassitude parfaitement analysée et maîtrisée : quels plaisirs peut encore m'apporter ma vie ? Honnêtement, aucun que je n'ai déjà connu. J'ai réalisé mes rêves et le déclin est programmé. « La vie commence à cinquante ans. » Faut-il être débile pour proférer des âneries pareilles ! À cinquante ans, la vie commence à faire chier, oui !

Alors, s'arrêter là avant que ça devienne vraiment insupportable. Choisir le moment du départ, puisqu'on n'a pas pu choisir celui de l'arrivée. Quitter la table avant les odeurs de viande et de tabac froids. Avant la nausée du trop plein. Avant que le maître d'hôtel n'apporte l'addition. Parce que, vu comme je l'ai bouffée la vie, ça risque de me coûter cher. Très cher. Arthrose et cancer en sus, non merci. Tchao ! Allez me chercher ma canne et mon chapeau, et gardez la monnaie !… Quoique… Je vais peut-être attendre quand même. Il faut dire que, quand Lily entoure la moitié de mon cou avec ses petits bras, j'ai encore un rêve : qu'elle en fasse le tour complet. Et ça, ça va prendre un peu de temps !

Maman dort encore à Toulouse ce soir. Elle n'a pas voulu rentrer. Le professeur me l'a confirmé :

— Comme je vous l'ai dit, il n'y a plus rien à faire. Aujourd'hui, je l'ai trouvée encore plus affaiblie. Qu'elle décide où elle a envie d'être !

Elle a choisi de rester là-bas.

185

— Il y aura trop de monde à Martel, m'a-t-elle dit d'une voix épuisée à peine audible.

Alors, les mamans aussi se cachent pour mourir ?

Je l'ai bien comprise cette honte d'être contemplée en friche. Elle a encore maigri. Cette fois, je suis certain qu'elle sait. Avant-hier encore, elle ne parlait que du projet de monter à Paris à l'émission que je vais enregistrer le 19 novembre avec ses amis les gitans. Là, elle n'en dit plus un mot. De toute façon, quoi qu'il en soit, elle sait qu'elle les aura, ses gitans. Pour le dernier voyage. En sérénade jusqu'à la mise en terre. Elle me l'a fait promettre.

Ah, ses gitans ! Qu'est-ce qui a bien pu lui donner cette passion ? Et qu'est-ce qui fait qu'ils l'ont adoptée au premier regard ? Le rejet, l'exclusion commune ? Sûrement un peu. On nous a toujours forcés, nous deux, à planter notre caravane hors de la ville. Les commères aux fenêtres espionnes nous ont toujours lancé des regards suspicieux. Si je devais résumer notre histoire d'amour à une photo, ce serait une gitane tenant par la main son petit, de dos, sur une route de campagne. Et au premier plan des mains, armées de cailloux.

Fin 1992, on aurait pu cependant retoucher le décor de la photo. Les mêmes personnages, toujours de dos, mais sur les Champs-Élysées, avec l'Arc de Triomphe en fond. Et les mains, au premier plan, qui applaudissent.

« Triomphe », le mot n'est pas de moi, mais de tous les spécialistes de la télévision. Le 26 décembre 1992, *Le grand bluff* a battu tous les records d'audience. Dix-sept millions et demi de téléspectateurs. Battu seulement depuis par les exploits français aux coupes du monde de foot. Tu te rends compte, des événements planétaires, boostés par un étalage médiatique colossal ! Il a fallu ça pour détrôner une émission toute simple. Un canular fabriqué avec des bouts de ficelle Sans promotion exceptionnelle, et dont la séquence qui marquera le plus le public aura une vedette inconnue : Maman. Et ce que les gens ne savent pas c'est qu'elle fut aussi, sans le savoir, l'instigatrice de l'idée.

En mai 1992, j'ai pris dans la tête un énorme coup de boomerang. J'avais tenu quand même presque deux ans après la mort du petit avant le retour du bâton. De la même manière que j'étais sur scène le soir de sa mort, j'y étais aussi dès le lendemain de l'enterrement. Surtout ne pas tenter de s'échapper du tourbillon. Valser avec. Pour la survie. J'ai enchaîné en septembre la rentrée télévisuelle, plus actif que jamais. Et j'ai continué, la tête dans le guidon. Je faisais *Sébastien c'est fou*, tous les quinze jours pour plus de dix millions de téléspectateurs en moyenne.

En janvier 1991, Marie, la fille posthume de Sébastien, était née. Avec tout ce que ça supposait de bonheur et de souffrances mêlées. Plus les paparazzis vautours en attente de chair fraîche. J'ai dû négocier une seule photo pour qu'ils lui foutent la paix. Gratuitement bien sûr. Ils ne l'ont plus jamais importunée. De toute façon, j'avais menacé. S'ils étaient revenus, j'aurais commandité la violence à tous mes potes de la marge. Affamées, mais pas vraiment téméraires, les sangsues ! Tant mieux pour eux, pour moi et pour elle.

Et puis, loin des journalistes, mon couple avec Fanfan s'était désintégré. Il n'avait pas résisté au deuil qui me rendait aussi insupportable que lui. Pour couronner le tout, Fanfan attaquait son sixième mois de grossesse. Ça faisait quatre ans qu'on essayait sans succès. Et encore une fois, comme si le destin voulait réparer l'irréparable, elle est tombée enceinte au moment où on n'y pensait plus. Au moment où ça n'allait déjà plus entre nous, juste après la mort de Sébastien. Par chance, Fanfan était intelligente et je ne buvais plus. Deux éléments essentiels qui nous ont fait décider, pour le bien de l'enfant à venir, de nous séparer au plus vite sans cris et sans orages. En se promettant de tout faire pour que ce petit vive au mieux un éloignement tranquille plutôt que de lui imposer une fausse relation tendue.

Nous avons agi en adultes responsables. Maman, bien que bouleversée par cet autre enfant en transit, a adoubé cette décision pour une fois réfléchie et raisonnable. Le temps, et le garçon merveilleux et équilibré qu'est Benjamin aujourd'hui nous ont donné raison. Mais à ce moment-là, si tu ajoutes un fils sans maman à Martel, un autre laissé en route, une petite fille orpheline avant de naître, et un nouveau fils parti vivre ailleurs à peine arrivé, ça faisait lourd. J'avais encore les épaules solides, mais le fardeau commençait à me faire plier les genoux. Alors un soir de mars, d'un coup comme ça sans prévenir, l'accident. La faille brutale. L'effondrement. Ça s'est passé dans la loge avant l'émission. Plus de force. Anéanti. Le boomerang.

— Il est où Sébastien ?

— Qui ?

— Mon fils, il est où ?

— Mais enfin Patrick, tu sais bien…

— Il faut que j'appelle ma mère.

J'ai demandé qu'on me laisse seul et j'ai téléphoné à Martel.

— Allô, Dédée.

— Il y a un problème ?

Tout de suite, à ma voix, elle avait senti qu'il se passait quelque chose de grave.

— Sébastien, t'es sûre que c'était lui à la morgue ?

— Bien sûr, mon petit… Qu'est-ce qui t'arrive ?

Et je me suis écroulé. Physiquement au pied du canapé. Et j'ai déversé des flots de larmes, de suppositions, d'incohérences. Maman a tout écouté presque sans répondre. Au moment où, à bout de forces, je n'étais plus qu'un souffle au téléphone, elle m'a ordonné :

— Arrête tout, tout de suite.

— Mais j'ai encore des émissions jusqu'en juin.

— Tout de suite ! On a eu assez de malheur. Si toi tu craques, je vais en mourir. J'ai besoin de toi, et en entier. Explique à tes patrons que tu dois te reposer. Que tu reprendras plus tard, que c'est une question de vie ou de mort. C'est quand même pas des monstres !

Ce n'était pas des monstres, juste des marchands. Quarante pour cent d'audimat, ça ne peut pas déserter pour un petit passage à vide quand même !

— Tu peux pas nous faire ça Patrick, tu te rends compte dans quelle merde tu nous mets ? m'a dit, atterré, le directeur des programmes.

— J'en peux plus, si je me repose pas, je vais m'en filer une dans la tête. C'est le contrecoup du petit, il faut me comprendre. Vous pensez vraiment qu'à la rentabilité.

— Comment tu peux dire ça ? J'y étais ou pas à l'enterrement de ton fils, tu te souviens ?

Il y était. Avec d'autres, en délégation d'entreprise. Je ne mettrai jamais en doute leur douleur sincère et leur compassion à ce moment-là. Mais à ce moment-là, seulement. J'ai tenu parce qu'ils étaient venus à l'enterrement. Par reconnaissance. Ils avaient trouvé les mots qu'il fallait, au moment où il fallait. C'est ça le talent des grands capitaines d'industrie

Merci qui ?

Merci la Une ! comme disait le slogan.

J'ai attendu juin pour annoncer que j'arrêtais tout. Les journalistes ont écrit que je faisais un caprice de star, les cons ! Et puis, très vite, dans les mois qui suivirent, ils m'ont rayé de leurs tablettes en criant haut et fort que ma carrière était bien finie. Ça, j'ai pas aimé. Mais alors pas aimé du tout ! Au bout de deux mois de vrai repos, je ne pensais qu'à une chose : leur montrer qu'ils avaient eu tort de le sous-estimer, le petit Patrick à sa Maman.

En avril, Nana était venue mettre du Synthol sur mes blessures. Elle faisait du bien là où ça faisait mal. Tout doucement, entre son amour tout neuf, et les longs séjours à Martel en famille loin de la folie de la télé carnivore, je me suis refait un moral, une envie.

Les kilomètres que j'ai faits en voiture ont toujours été l'indispensable terrain de mes inspirations. Pour certains, c'est un bureau, un paysage, un refuge, un bord de mer, une île. Moi, c'est le long ruban des routes de nuit qui déclenche mes trouvailles. J'y ai eu des milliers d'idées dont j'ai jeté la grande majorité. Parce que mon métier est d'abord un hymne à l'inutile. Chercher, trouver, jeter… Chercher, trouver, jeter… Et un jour : tilt !

Je pensais au boucher. Et d'un coup, je me suis dit en souriant :

— C'est quand même mieux que si c'était Maman qui ne m'avait pas reconnu !

Le flash ! Pas sur la route, dans ma tête. Et immédiatement l'enchaînement. J'ai appelé Nana tout de suite.

— J'ai trouvé une idée géniale. Si je le réussis, je suis sûr que ça sera énorme. Je vais me déguiser pour aller faire tous les jeux télé comme candidat anonyme, méconnaissable. Je vais tout faire pour pousser à bout tous mes potes animateurs qui me connaissent par cœur. Et au moment où ils vont péter les plombs : « Coucou, c'est moi. » Et en point d'orgue je vais piéger celle qui me connaît le mieux : ma mère.

Il m'a fallu une organisation sans faille, une précision méticuleuse dans le maquillage. Pour piéger Maman, je m'étais fait passer pour un flic sévère et borné arrivant sur les lieux d'un faux accident que nous avions provoqué. Des amis avaient tout préparé pour que Maman soit au lieu dit à l'heure dite. Elle n'était absolument au courant de rien. Je lui avais téléphoné, soi-disant de Paris, dix minutes plus tôt.

Tous ceux qui ont vu la séquence ont été effectivement « bluffés » par la situation. Par ce flic buté que j'étais, agressant sans raison une maman d'artiste, en lui lançant :

— Vous vous prenez pour qui ? C'est pas parce que vous êtes la mère de l'autre con ! Je vais vous mettre au pas.

Et maman s'était emportée :

— Je ne me prends pour personne, je suis madame Dédée Boutot, et je le resterai.

Je n'en attendais pas moins.

En fait, le scénario aurait dû aller beaucoup plus loin. J'avais prévu de la pousser encore plus à bout. De traiter Patrick Sébastien de bâtard pour qu'elle me fasse voler le képi. (Toi qui la connais bien maintenant sais bien qu'elle aurait fini par le faire.) Et j'aurais terminé par un souriant :

— Maman, tu vas quand même pas frapper ton fils !

Seulement voilà, il y a des choses qu'on ne peut pas discerner sur les images. D'abord, mon trouble, que je n'attendais pas aussi violent. Voir à dix centimètres les yeux de la personne qui me connaissait le mieux, qui m'aimait le plus, le premier regard de ma vie ne pas me reconnaître m'a fait un choc terrible. J'avais la sensation d'être mort. Et puis Maman commençait à être fatiguée. Peut-être, les débuts de sa maladie d'aujourd'hui. Le ton montait. Je la voyais contenir ses nerfs. Elle a commencé à trembler. Et là je me suis dit que le jeu n'en valait pas la chandelle. J'ai abrégé. J'ai enlevé mes lunettes noires en disant :

— Maman.

— Pas possible !

Elle est partie d'un immense éclat de rire et nous nous sommes tombés dans les bras.

*Le grand bluff* est resté depuis le canular le plus célèbre de la télévision française. Culte, comme ils disent. Et la séquence dont tout le monde me parle encore seize ans plus tard, c'est celle où, déguisé en flic, j'ai piégé ma Maman.

Ce jour-là Dédée Boutot, l'ouvrière de Juillac, est devenue aussi célèbre que son bâtard. Tu crois que ça l'a fait rire devant sa télé le boucher ? Ou l'autre ?

Il est fort possible qu'à l'annonce de son décès, outre l'apitoiement de rigueur sur ma peine, beaucoup de gens se remémoreront immédiatement cette scène-là. Ce gag.

Toi, maintenant, tu sais que c'était bien plus que ça.

Un fantaisiste qui a piégé sa Maman.

Sa Maman ?

Là aussi, maintenant tu sais que c'est bien plus que ça.


Allez, il est tard. J'arrête. Je ne me sens pas très bien. La boule au ventre prend de plus en plus de place. Pourquoi ai-je le sentiment, contrairement à hier, que Maman ne reviendra pas de Toulouse ? L'étoile filante de zéro heure quarante-trois, peut-être.

Je vais aller à Toulouse, demain. Je pense que je serai revenu pour écrire. Attends-moi...

Toi aussi, Maman.

## MARTEL.
### *Nuit du 4 au 5 novembre 2008.*

Loin, là-bas, aux États-Unis, ils sont en train d'élire le premier président black. Tout arrive ! Un peu moins loin, à Toulouse, Maman glisse lentement vers la fin. Tout arrive !

La nuit dernière, avant d'écrire, j'ai voulu regarder un DVD pour me détendre. Un cauchemar ! Une nouvelle de Stephen King. Une chambre d'hôtel maléfique où les morts se succèdent et dont le héros ne peut pas sortir. Ça s'appelle *1408*. C'est le numéro de la chambre au quatorzième étage de l'hôtel. L'hôpital Purpan n'a pas quatorze étages. La chambre de Maman est la 408. Seulement. Une coïncidence, une concomitance. Certains disent une synchronicité, même si ce n'est pas dans le dictionnaire. C'est vrai que, de l'oiseau dans la maison à l'étoile filante, tout me semble hasard prémonitoire. Pour les chiffres, les dates, je ne peux m'empêcher de présager du jour de la fin ou du jour de l'enterrement, en me projetant sur des synchronicités symboliques. Le 9 novembre, la date de la mort de De Gaulle, le 22 novembre, celle de Kennedy, les deux idoles absolues de Maman. Je vois aussi arriver à grands pas le 14 novembre. L'enfoir le jour où

j'ai fleuri serait un signe de plus de notre fusion éternelle…
Dans dix jours. Partira-t-elle avant ? Longtemps après ?
Attendra-t-elle exprès ? Je me dis que tout est possible,
surtout après ma dernière visite. Ce soir, pour la première
fois, je me la pose au présent la question de l'abrégement.
Jusqu'à maintenant, je me disais : « On avisera au premier
coma. » Depuis l'heure que j'ai passée près d'elle, chambre
408, ma conscience est à vif.

Cet après-midi, après deux heures de route sous une pluie
incessante, j'ai rejoint Tonton Max, à Blagnac. Tonton,
c'est un ami, un vrai. De Maman d'abord, dans les années
Turenne. Un fidèle. Joyeux, excessif. Mais surtout, un de
ceux de la marge, aujourd'hui rangé. À l'ancienne. Avec
tout ce qui va avec : le respect de la parole donnée, la témé-
rité, la bienveillance et quelques années de pension au frais
de l'État. Il m'a connu bien avant Patrick Sébastien, c'est
pour ça qu'il est aussi de ma famille. Depuis des années,
nous entretenons une relation forte et tendre. Parce qu'il est
ce qu'il est, et que je suis ce que je suis. Sans faux-semblants,
sans maquillage. D'homme à homme. Il a pour Maman une
tendresse bien particulière. Une admiration aussi.

– La Dédée, elle se démontait jamais, même pas devant
un mec de cent kilos, alors je me doute bien comment elle
doit résister à cette putain de maladie.

– Tu vas quand même être surpris, Tonton.

Nous sommes entrés en costauds dans la chambre.
Nous nous sommes assis chacun d'un côté du lit. Du
coin du regard, je l'ai vu accuser le coup. Lui, le dur, que

tu pourrais garder quatre-vingt-douze heures en garde à vue sans qu'il desserre les dents. Lui, le vieux lion, qui s'est colleté avec tous les fauves de la jungle. J'ai vu ses yeux se voiler, sa carapace se fissurer. Il s'est vite repris à mon premier clin d'œil. On a joué les détendus, les gais, chauds pour une soirée entre dingues, le faux prétexte de mon détour par Toulouse. Nous n'avons fait pratiquement aucun commentaire sur la maladie. Que des banalités sur le sale temps et la bouffe immangeable de l'hôpital. Et puis, on s'est appliqués à partir comme à chaque fois.

— Le foie gras nous appelle, on y va. On va boire un coup pour toi !

Elle a souri. Mais mal. De travers. La commissure des lèvres crispée. Le regard perdu enfoncé dans les pommettes saillantes. Elle a levé son bras pansé fait seulement d'os et de peau fuyante. Elle ne nous a pas dit « au revoir ». Ou même si elle l'a dit, on ne l'a pas entendu tant sa voix était faible. À deux mètres, on était trop loin.

Nous nous sommes retrouvés en bas, Tonton, Isabelle et moi. Sous un Abribus pour se protéger de la pluie diluvienne. C'est là que j'ai commencé à l'envisager vraiment, le crime qui ne dit pas son nom.

— T'en penses quoi, Tonton ? ai-je lancé entre deux bouffées de la trentième cigarette de la journée.

— Tu sais comme je suis dur, mais là... Franchement j'aimerais pas être à ta place.

Et j'ai argumenté, comme pour me convaincre moi.

— S'il reste ne serait-ce que dix minutes de bonheur à lui offrir, il faut les lui offrir. Mais là, j'ai vu quoi ? Un corps qui de toute façon ne peut plus s'arranger. J'ai vu la souffrance morale dans ses yeux.

— Oh, je la connais, a soupiré Tonton. C'est sûr qu'elle se voit, et qu'elle ne supporte pas ce qu'elle est devenue. Mais fière comme elle est, compte pas sur elle pour lâcher.

— Je sais bien, ai-je repris. La seule question que je me pose c'est : où commence-t-il, le véritable acte d'amour de notre part ? Le confort, c'est attendre que le destin décide. Mais ça sert à quoi ? Est-ce que le vrai cadeau, ce n'est pas d'arrêter tout ça, là, ou au plus tard dans deux, trois jours ? Parce que franchement, moi, je ne peux plus la voir comme ça. Et si on la traitait pour qu'elle ait au moins une heure ou plus sans aucune souffrance ? Une heure de bien-être juste avant de s'endormir tranquille, c'est ça le vrai cadeau, non ?

Isabelle baissait la tête, Tonton aussi. Je cherchais les mots. Je me contredisais :

— Attendons quand même... On ne sait jamais... Il y aura peut-être un léger mieux...

Et je me répondais :

— Oui, mais quel mieux ? Puisque c'est irréparable... Et merde !

Et j'ai balancé un grand coup de pied dans la borne en plastique. Et puis j'ai regardé les fenêtres, en haut, et j'ai lancé, désabusé :

— De toute façon, c'est pas un drame exceptionnel, regarde là-haut. Derrière ces murs, il y en a cinquante, cent peut-être, qui se posent la même question que nous... Allez, on va bouffer !

J'ai serré Isabelle, la sainte, très fort contre moi. Elle va encore passer la nuit sur un lit de fortune, par terre, près de Maman. Et nous avons quitté tête basse et le pas lourd le pavillon « Dieu la foi ». C'est le nom exact. Ça ne s'invente pas. Tiens, je te fais un deal, machin, là-haut :

— On va dire que tu existes, OK. D'agnostique, je veux bien devenir croyant léger. Mais, s'il te plaît, épargne-lui les souffrances inutiles. Tu dois la recevoir bientôt, et toi seul sais quand... Alors, avance le rendez-vous... Pour elle. Elle le mérite, tu le sais bien !

On a mangé en tête-à-tête, Tonton et moi. En parlant d'elle. Sans sourire. Et puis j'ai repris la route sous les trombes d'eau. Et me voilà, assis au clavier pour écrire encore des souvenirs qui veulent me baiser. Me prendre, me tourner, me retourner dans tous les sens. Me défoncer le cœur.

Pas ce soir, j'ai la migraine !

## MARTEL.
### *Nuit du 5 au 6 novembre 2008.*

À dix-huit heures, le gyrophare bleu de l'ambulance a transpercé le brouillard à l'entrée de la piste d'atterrissage d'Esclauzars. Maman a souhaité revenir de Toulouse. Le professeur qui sait que céder à ses désirs fait partie intégrante des soins de confort, l'a laissée partir. Les brancardiers l'ont déposée dans sa chambre.

J'ai demandé, souriant :

– Ça va, tu n'as pas trop mal ?

Elle m'a à peine rendu mon sourire.

– Non, mais je suis fatiguée… très fatiguée.

Et elle s'est tournée de l'autre côté pour grimacer.

Ce soir, il fallait que j'évacue. J'ai une pression abominable sur le plexus. Alors j'ai décidé d'aller avec Nana, manger chez Francis, le meilleur restaurant de Brive. Pour tenter de diluer un peu la boule qui me tord le ventre dans un bon vin frais et quelques spécialités locales exquises. C'est ça, mon Témestat. Chacun ses remèdes !

J'ai exagéré quand je te disais, sur un coup de blues, que je comptais mes amis sur le doigt du pouce. Au restaurant, j'ai rejoint deux « pouces », et leurs épouses. Deux vrais amis : François Duboisset et Laurent Seigne, respectivement directeur général et manager du club de rugby de Brive, dont je suis redevenu président, il y a deux ans, après dix ans de bouderies. Notre amitié va bien au-delà d'une simple complicité hiérarchique. Nous avons vécu il y a une dizaine d'années des moments inoubliables. Nous avons versé ensemble des larmes de peine et surtout de joie, quand le 26 janvier 1997, nous avons ramené la coupe d'Europe à Brive. Ce soir, j'ai envie de m'attarder sur « la belle aventure ». Parce que au-delà de la performance sportive, il y a dans cette histoire tous les éléments d'un roman dans la plus pure tradition « pagnolesque ». Avec évidemment Maman en vedette principale. Je ne me serais jamais donné la permission de raconter tout ce que je vais te confier si j'avais su qu'elle puisse en lire le moindre mot...

Aujourd'hui, hélas, je peux.

Je ne respecte plus l'ordre chronologique qui m'a conduit jusque-là. Mais ça n'a pas d'importance. Maintenant que tu connais l'essentiel de Maman, je peux naviguer à vue. Je reviendrai peut-être plus tard sur les détails de la décennie quatre-vingt-dix, mais c'est pas sûr. Celle de quatre-vingt était violente, trépidante. De 1990 à 2000, ce sera l'extrême brutalité. En rafale. Autant dans les succès que dans les drames.

Je résume en quelques lignes. 1990 : mort de mon fils… Et un peu de mon père. 1991 : naissance de ma petite-fille cadeau, puis de mon dernier fils, et séparation avec sa mère. 1992 : en juin, gros accident de voiture où j'aurais dû laisser la vie, et en décembre, triomphe du *Grand bluff.* 1993 : mort de mon frère et demi, mon indispensable Olivier dans un accident de voiture. 1995 : l'affaire « Osons », lynchage médiatique d'une violence et d'une saloperie hors du commun… Avec en prime le départ de Nana et une autre tentative de suicide. 1996 : Nana est revenue très vite, les succès à la télé aussi. 1997 : « la belle aventure ». Champion d'Europe au bout d'un an et demi seulement de reprise en main du club de Brive. 1998 . nouvelles saloperies, mais locales cette fois, qui vont me faire quitter la tête du club à contrecœur… Mais début de la formidable histoire du *Plus grand cabaret du monde.* Et pendant tout ce temps, de 1992 à 2000, Maman va diriger La Table au fou, un restaurant gouffre. Comme les canards. Une bérézina. Pour exactement les mêmes raisons.

Pour l'instant, j'ai envie de ne m'arrêter qu'à « la belle aventure ». Elle aura son point d'orgue dans les rues de Brive, où le petit bâtard de Juillac soulèvera devant des dizaines de milliers de personnes ivres de bonheur la coupe d'Europe qu'il leur avait promis.

En septembre 1995, j'avais pris les rênes du club à la dérive. Le rugby a toujours été ma passion. C'est Amédée Domenech (tiens, tiens !) qui m'y avait emmené tout petit, au nom de sa vieille « amitié » avec Maman. J'y ai joué jusqu'au moment de monter à Paris. C'est pour mes copains de troisième mi-temps que j'ai fait mes premiers sketches. Les couleurs noir et blanc ont tatoué ma peau pour la vie.

Pendant l'été 1994, un joueur surdoué avec lequel j'avais des liens privilégiés m'avait appelé au secours.

— Viens t'occuper du club, Patrick. C'est la passion qui nous manque. Toi, tu peux nous l'apporter.

Il s'appelait Alain Penaud, le joueur surdoué. Dans les années qui suivront, il sera d'ailleurs un international exemplaire. Quoi de « pagnolesque » dans tout ça ? Et Maman, quel rapport ? Eh, bien tout simplement, Penaud était le nom de famille d'Henri, le boucher de Juillac. Et donc, je venais d'être sollicité par mon supposé frère !

Jusqu'à la fin de « la belle aventure », nous n'évoquerons pas une seule fois le secret de famille. Tout sera dit sans le dire. Avec des regards, des mots à double sens, mais jamais nous n'aborderons le sujet même dans les moments les plus forts et Dieu sait s'il y en a eu. Une sorte de pudeur. Un second plan sans intérêt dans l'aventure vertigineuse que nous allions vivre. Pas mal comme « pagnolade », non ?

Mais ce n'est pas tout. Laurent Seigne, celui que j'avais choisi comme entraîneur, était un joueur à fort caractère. International, lui aussi. Pétri de grandes qualités et aussi de bons défauts. Tout ce qui fait d'un homme un meneur excep-tionnel. Affublé en plus d'un sens de l'humour impitoyable, d'une gouaille et d'un courage héréditaires. Forcément, puisque toute la ville savait qu'il était le fils caché de la star des stars : Amédée Domenech !

Elle est pas belle l'histoire ?

Et me voilà embarqué à la barre d'un navire de conquistadors, avec comme seconds un frère ou l'autre. Autant avec Alain, nous n'avons jamais parlé de quoi que ce soit, autant Laurent en plaisantait chaque jour, persuadé (et il l'est encore), que le véritable frère c'était lui.

Et Maman, dans tout ça ? Elle restait sur ses positions. Le frère, c'était Alain, même si elle avait une sympathie bien plus inaltérable à l'attention de Laurent. Le soir de la finale du championnat de France perdue contre Toulouse en mai 1996, il y a eu une image furtive à la télé. Alain pleurait dans mes bras, en gros plan. Henri était devant sa télé. Sûr qu'il a dû verser lui aussi sa petite larme. Mais sur quoi ?

La finale de la coupe d'Europe 1997 a eu lieu à Cardiff, devant cinquante mille spectateurs, dont quarante-cinq mille Anglais déchaînés qui soutenaient Leicester, nos adversaires archi-favoris. Au moment de la remise des maillots, à l'hôtel, deux heures avant, j'ai demandé à Laurent :

— Tu permets que ce soit moi qui remette le maillot à Alain ?

Il a souri.

— Dédée, ça serait mieux, mais elle est pas là.

On a éclaté de rire, et nous sommes entrés dans cette antichambre si secrète qui prépare aux combats des gladiateurs des temps nouveaux. Après les paroles de motivation

205

les appels lyriques au surpassement de soi, j'ai fixé Alain dans les yeux longuement. Le silence de l'équipe autour était pesant. Tout le monde savait. Mais personne n'en parlait jamais.

– Tiens Alain, ai-je dit, en lui collant le maillot sur le cœur. Si mon fils était encore là, il aurait presque ton âge. Alors on va gagner pour lui… Et pour ce que tu sais.

On était bien moins forts que Leicester, mais on a gagné, après un match qui est resté dans les annales. À l'envie. À l'amitié. Avec ce petit quelque chose en plus qui prédispose aux exploits sportifs : le supplément d'âme. Celui-là avait quelque chose de bien différent. L'exploit a été à la hauteur de la force du secret qui y avait mené.

Au soir de cette journée de rêve, seul dans ma chambre d'hôtel, allongé sur mon nuage, j'ai appelé Maman.

– Tu es fière de moi ?

– Oh, oui, mon petit.

– Il doit être doublement fier aussi, le boucher !

– On s'en fout. Le principal, c'est que les Brivistes reconnaissent que vous avez réussi, toi et Laurent.

– T'as raison. Maintenant, ils vont enfin nous respecter, ceux d'en haut, même si on ne vient pas de leur bourgeoisie

– Alors ça, n'y compte pas trop ! Je les connais trop ceux-là. Au premier échec, ils vous feront pas de cadeaux.

– Quand même ! On leur ramène le plus beau des trophées. C'est sûr que certains doivent l'avoir en travers. Tous ceux qui ont craché sur Laurent et sur moi parce qu'on venait pas du même monde, mais c'est la coupe d'Europe. C'est pas n'importe quoi. Ils ne peuvent pas nous virer de sitôt !

Ça n'a pris que deux ans. Le temps de refaire une finale de coupe d'Europe perdue d'un point, l'année suivante, et les notables ont repris la main. Quelques rumeurs, une foule de calomnies, et moi, le bénévole amoureux seulement de mon club, j'ai déserté, écœuré. Et Laurent aussi.

Après dix ans de jachère prévisible, je viens d'y revenir. Avec Laurent, bien entendu. Contre l'avis de Maman :

– N'y reviens pas, t'as vu comme ils t'ont traité. Ils ne vous méritent pas.

– Ceux d'en haut, non, mais les petits, les vrais supporters qu'on a fait rêver. Ceux-là n'attendent que ça… On y arrivera.

– On refait pas l'histoire.

– C'est pas grave, on va en écrire une autre.

On écrit… On écrit… Avec difficulté, mais on écrit. Sûr que cette histoire ne sera pas la même. Henri et Amédée ne sont plus là. Je suis fâché avec Alain. La dernière fois que je l'ai rencontré, c'est par hasard, au cimetière de Juillac. J'allais sur la tombe de mon fils, et je n'ai pu m'empêcher de pousser jusqu'à celle d'Henri. J'ai senti une présence derrière moi. C'était Alain. Encore une fois nous n'avons rien évoqué. Pas un mot sur notre sang commun supposé. Nous nous sommes recueillis ensemble. Et puis nous avons parlé rugby. C'était il y a un peu plus de deux ans. J'envisageais de revenir au club. Nous avons projeté de reconstruire ensemble. Et puis le temps a passé. J'ai considéré son souhait de devenir entraîneur trop précoce. Je lui ai recommandé de faire ses armes avant. Il l'a très mal pris. Depuis, il me déteste sûrement. Moi pas.

Voilà ! J'avais envie de raconter ça ce soir, après mon repas d'amitié avec Laurent.

On repartira vers 1992 demain, ou plus tard.

Tout ce que je viens d'écrire, je l'ai décidé en sortant du restaurant. Alors j'ai commencé par ça. Mais il s'est passé quelque chose d'important entre-temps. J'ai préféré te le garder pour le dessert. Une cerise plus grosse que le gâteau.

Avant de venir m'asseoir au clavier, je suis passé par la grande cuisine. Il y avait Isabelle et Pépée, la sœur fidèle de Maman. Je leur ai confié que ce soir j'allais beaucoup parler de ma paternité.

Sans arrière-pensée, soudain, j'ai demandé à Pépée :

– De toute façon, il y a bien quelqu'un qui sait

Je ne sais pas si c'est la situation tragique, l'ombre de Maman tout près, mais j'ai senti Pépée soudain mal à l'aise. Je me suis engouffré dans la brèche.

— Toi, tu sais ?

— Écoute ne me fais pas dire ce que je ne peux pas dire… Attends un peu… Plus tard quand elle ne sera plus là… Je te promets.

— Ah, non ! Tant qu'on y est, il faut me dire maintenant si tu sais quelque chose.

— Écoute, je ne veux pas t'empêcher de dormir.

— De toute façon, je ne dors pas. Réponds juste à une question. J'ai raison d'avoir un doute ?

Elle a baissé les yeux et elle a murmuré :

— … Oui. Mais attention, je ne suis sûre de rien.

J'ai insisté :

— Dis-moi.

— Écoute, c'est la connerie des gens.

J'ai insisté encore…

— Ça veut dire quoi la connerie des gens ?

Elle a encore hésité et elle a lâché devant Isabelle toute gênée d'assister à cet aveu inattendu :

— Ils l'ont coincée un soir, à plusieurs.

Mon sang a commencé à cogner aux tempes. J'ai articulé avec peine :

— Comment ça… à plusieurs ? Ils l'ont tous sautée ?

— Mais, non… Je ne sais pas… Un seul peut-être.

— Peut-être ou sûrement ?

— Encore une fois je ne suis sûre de rien, peut-être aucun… Elle m'a dit qu'ils l'avaient coincée, rien de plus.

— Et il y avait Henri dans le coup ?

— Non… Il faisait pas partie de cette bande-là.

— Qui, alors ?… Qui ?

— Raymond Forteau, l'artiste… Tu sais, il n'y a rien de sûr, mais tu lui ressembles. Enfin, ressemblais, malheureusement, il n'est plus là.

J'ai accusé le coup. Après un long silence j'ai demandé à Pépée, tout embarrassée d'avoir parlé :

— Alors pourquoi elle n'a pas dit que c'était peut-être lui ?

Elle a murmuré, comme une évidence :

— Il était marié, mon petit… Et puis, Dédée était mineure, pas lui.

Alors comme ça, c'est le célibataire qui aurait porté le chapeau ! De coupable, il devient victime. Et ses aveux le jour de l'enterrement du petit étaient la vérité ! Et envolé l'espoir avoué d'être le fils d'Amédée !

Je n'ai pu m'empêcher de questionner :

— Mais, ce Raymond, j'avais plutôt entendu dire que c'était l'amant d'Angèle, ma grand-mère… Ta mère.

— Ça, je ne sais pas… C'est vrai que certains l'ont dit. Peut-être.

Et on a éclaté de rire tous les trois. Quelle « pagnolade » ! Quel sac de nœuds ! Faudra que j'attende demain pour y voir plus clair, parce que là ça commence à faire beaucoup. Merci quand même pour la matière à écrire !

Alors je suis venu m'asseoir au clavier. La tête à l'envers. Au point où j'en suis, c'est pas grave. Plus grand-chose ne peut m'étonner. D'ici que j'apprenne que je ne suis pas de Maman ! Non, je déconne. C'est peut-être la seule chose qui soit totalement impossible.

Allez, Maman, un dernier message pour toi :

« De toute façon, qui que soit mon géniteur, je pardonne d'avance tous tes mensonges. S'il y en a eu, tu devais certainement avoir une bonne raison. N'en veux surtout pas à Pépée d'avoir anticipé ses aveux. Surtout qu'elle n'est sûre de rien. C'est son sentiment, sa conviction. Et je n'irai pas t'en demander la confirmation. À vrai dire, ce n'est pas si important que ça. On s'en est très bien sortis tous les deux. Il ne m'a rien manqué. Comme dit mon pote Jamait dans sa plus belle chanson : "On ne peut pas manquer de ce qu'on n'a pas connu". Toi, par contre, ça va être dur… Très dur. »

## MARTEL.
### Nuit du 6 au 7 novembre 2008.

Décidément, Maman ne fera jamais les choses comme les autres. Chaque fois qu'on la sent au bord du précipice, elle se redresse et fait trois pas en arrière. Étonnant, presque surréaliste. Même le médecin a du mal à suivre. Ce soir, elle était plutôt bien. Elle ne gambadait pas bien sûr, mais elle a fait quelques pas dans le couloir. Elle a eu aussi quelques sautes de mauvaise humeur. On appelle ça « roumer », chez nous. Et tant qu'elle « roume », c'est que ça va !

Il y a deux jours je te confiais mon inquiétude du définitif. Et voilà qu'elle se refait un peu. À chaque fois, on a l'impression que la pente va l'entraîner. Et quelques heures plus tard, elle redevient un peu plus vive et malgré la maigreur qui s'accentue, et on se surprend à être à nouveau optimiste. Tant mieux !

Et nous vivons tous au rythme de ces montagnes russes. C'est épuisant, mais tellement encourageant de la voir refaire surface. Elle s'accroche avec une volonté quasi surna-turelle. Le médecin m'a confié que n'importe qui, avec ce qui la cloue, aurait passé la rampe depuis longtemps. Mais, inexplicablement, le cœur tient. L'accident peut arriver à tout moment, bien sûr, mais chaque « mieux » éteint un peu mes angoisses. Ça, c'est nouveau. Car depuis presque un mois déjà que ça dure, les multiples renversements de situation commencent tout juste à m'apprendre une patience nouvelle. De toute façon, Pépée ne sent pas l'imminence de la fin pour l'instant. Et j'ai plutôt tendance à la croire tant cette femme a des dons surnaturels.

Elle s'appelle Colette, cette tata magique, cette sorcière bien-aimée. En souvenir de la grande Colette, l'écrivain. Ma grand-mère était servante à son mariage avec Bertrand de Jouvenel au château de Castel Novel, près de Brive. Elle traîne depuis l'enfance ce surnom hétéroclite comme la plupart des surnoms : Pépée. Elle a soixante-dix-huit ans, et une santé à faire pâlir un trentenaire. Épaisse, vive de corps et d'esprit, elle a toujours été pour moi une énigme. Elle habite dans une fermette minuscule et totalement isolée à une vingtaine de kilomètres de Martel. L'époque où elle s'éclairait encore à la bougie n'est pas si lointaine. Solide comme un roc, elle est physiquement la caricature des femmes de campagne. Les mains lourdes, dure au mal, n'ayant vécu que pour son défunt mari et ses enfants.

Et étrangement, cette femme, que tu n'imaginerais qu'aux fourneaux ou à la bergerie, est d'une culture étonnante. Passionnée de livres, curieuse de tout, elle est d'une intelligence rare. Depuis deux ans, elle est à demeure à Esclauzars pour faire la cuisine et s'occuper un peu de la maison entre deux romans et des recherches culturelles sur Internet. Et pour couronner le tout elle est dotée de véritables dons. Son pendule, en bien d'occasions, nous a livré précisément des lieux où l'on pouvait retrouver des chiens perdus, des informations sur le futur. De plus elle a la capacité d'enlever le feu. Réellement. Par imposition des mains et même à distance par téléphone.

Elle est l'aînée de Maman de quelques années, et a toujours été par le fait sa confidente la plus proche. Ce qu'elle m'a révélé hier soir ne m'a pas empêché de dormir comme elle le craignait, mais m'a poursuivi toute la journée. On se prendrait la tête pour bien moins ! Parce qu'après réflexion, ses révélations expliquent beaucoup de choses.

Tout ce que je vais te livrer de mes raisonnements a tourné dans ma tête toute la journée. Et j'en suis arrivé à une théorie sur le mystère de ma naissance qui n'engage que moi, et qui ne tient qu'à être confirmée ou infirmée dans les mois qui vont suivre. Parce que je n'en resterais pas à des suppositions. Dès que Maman sera partie, je te jure bien que je suivrai toutes les pistes qui me permettront de remonter à la vérité quelle qu'elle soit.

Pour moi, Maman a effectivement fait l'amour avec Henri Penaud, le boucher, le 19 février 1953. Les révélations de Pépée me poussent à croire que Raymond Forteau a eu aussi des rapports avec elle, soit quelques jours avant, soit quelques jours après. Je pense sincèrement qu'au moment où Maman a appris qu'elle était enceinte de moi, elle ne savait pas qui était le père. Les deux étaient possibles. Elle a choisi Henri d'abord parce que son cœur le lui dictait, et deuxièmement parce que, dans une moindre mesure, le fait que Raymond était marié amenait des soucis supplémentaires. Il est alors logique qu'Henri, probablement au courant qu'il n'était pas le seul sur l'affaire, ait émis des doutes sur sa paternité. La famille aidant, il a préféré s'abstenir. Et c'est ainsi que Maman s'est convaincue que le père était celui qu'elle aimait le plus. Les deux étant blonds aux yeux bleus, ça a bien facilité le choix. Seulement voilà. Raymond était plus ou moins artiste. Je me souviens de lui à l'occasion de quelques fêtes de village chantant, imitant même. Plus un don pour tout ce qui était dessin et poésie.

Vers l'âge de douze ans, j'ai commencé à montrer les mêmes capacités. Je ne dis pas que le don artistique est obligatoirement atavique, mais ça pourrait quand même expliquer mes prédispositions. Il est clair, en revanche, que je n'ai jamais eu aucun goût pour la découpe de la viande, ou le panage des pieds de porc. Je peux ajouter que la mâchoire carrée et le nez en trompette, marque de fabrique des Penaud, ne font pas du tout partie des signes particuliers que je pourrais apposer sur une carte d'identité.

Tout ça me pousse à penser qu'il s'agit d'un semi-mensonge sur lequel Maman en aucun cas ne pouvait revenir au bout de douze ou treize ans. Comment m'expliquer, après l'affirmation de ma personnalité physique et artistique, que, tout bien considéré, elle s'était trompée de père. Impossible à jamais !

Toute ma théorie est étayée par des détails qui depuis hier me reviennent et confortent ma nouvelle manière de voir les choses. D'abord, il y a l'embarras de Maman, chaque fois que j'ai proposé d'aller en parler en tête-à-tête avec celui qu'elle disait être mon père : le boucher.

— Ça ne sert à rien, mon petit, c'est loin tout ça. C'est fait, c'est fait. Ne t'embête pas avec ça.

Et si j'insistais, elle se mettait en colère :

— T'as pas confiance en moi ! Je suis une traînée qui a couché avec n'importe qui, c'est ça ?

Évidemment je répondais :

— Mais non, Maman, mais non… De toute façon, je m'en fous.

— Eh bien on est d'accord, parce que moi aussi !

Et puis, il y a l'aveu d'Henri, dans la voiture, le jour de l'enterrement du petit :

— C'est Raymond Forteau !

Cet aveu, Maman l'a balayé d'un revers de main, prétendant que c'était presque risible de dire ça, vu que nos similitudes artistiques n'étaient qu'une coïncidence bien pratique en l'occurrence.

Alors, César de la meilleure comédienne ?

Et Amédée Domenech, dans tout ça ? Il y a aussi ressemblance et lui-même laissait planer le doute. Pour la ressemblance je n'ai pas d'explication. Pour le doute qu'il a lui-même cultivé, j'imagine juste une forfanterie doublée d'une mythomanie bon enfant. Le personnage était ainsi, vantard, excessif et surtout très fier d'avoir semé des enfants çà et là. Je l'imagine bien dire à Dédée :

— Ton petit qui n'a pas de père, t'as qu'à dire que c'est moi ! Même si je t'ai connue après. Avec le temps, on sera moins précis sur les dates. Des gamins, j'en ai déjà un peu partout, ça surprendra personne. Et puis tant qu'à faire d'avoir un père caché, il vaut mieux que ce soit une star, plutôt qu'un boucher de village. Tu mérites mieux ! Et puis moi, c'est bon pour la légende. On sait jamais… Puisque tu es sûre qu'il deviendra quelqu'un.


Voilà ! Encore une fois ce ne sont que des suppositions, mais pour toutes ces raisons, il y a quelques chances que cette théorie soit la bonne. Je n'imagine pas Maman, même par courrier posthume, me confirmer cette version. J'irai chercher les preuves moi-même s'il en reste encore.

Tout ça c'est encore du « Pagnol ». Et même si ce n'est pas très ordinaire, c'était plutôt traditionnel pour l'époque. Mais il reste une possibilité beaucoup plus sordide qui m'a remué bien plus, pendant toute la journée.

Les mots de Pépée ont tourné en boucle dans ma tête :

— Tout ça c'est la connerie des gens… Ils l'ont coincée, un soir.

« Coincée », ça veut bien dire ce que ça veut dire. Ce n'est pas : « On s'est amusés ensemble ». Non, Maman a bien avoué : « Ils m'ont coincée ». Pour le coup, la question est bien plus lourde de sens : et si j'étais le résultat d'un viol ? Parce qu'il faut bien appeler les choses par leurs noms. Et que même si un seul d'entre eux, Raymond, en l'occurrence, a vraiment fait la chose pendant que les autres la « coinçaient », ça s'appelle un viol ! Même s'il n'y a pas eu d'extrême violence. Même si, comme ça arrive parfois, elle a juste été réticente au début, et qu'elle a cédé très vite parce que lutter n'aurait servi à rien. Même si elle n'a pas ressenti le besoin de s'en plaindre à qui que ce soit. Même si elle s'est imposé ce silence, parce qu'à l'époque, comme dans toutes ces campagnes-là, le fait de les dénoncer aurait fait retomber l'opprobre sur elle, parce qu'elle était belle et aguicheuse. Et même si, parce que la chair commande, elle en avait ressenti un millième de soupçon de plaisir, ça s'appelle quand même un viol !

Après avoir passé la journée à tourner et retourner toutes ces possibilités dans ma tête, beaucoup de détails me sont revenus. D'abord, l'insistance avec laquelle Maman m'a toujours affirmé qu'au moment de son histoire avec Henri, personne d'autre ne l'avait touchée. Elle aurait pu me parler de Raymond, même en l'exonérant de ma paternité. Pour Pépée, ce n'est pas une supposition, c'est un fait acquis : à cette période, elle a couché avec lui. Le viol éventuel pourrait justifier cet entêtement à ne pas le mentionner. Et puis tout serait logique. La honte de cette salissure renvoie si souvent au silence. Henri, le père de substitution démissionnaire, était bien plus facile à me faire accepter qu'une horde de géniteurs abusant d'elle. Pour mon équilibre futur, c'était le moins pire, surtout que le père supposé était une possibilité réelle.

Et puis deux autres choses. Une phrase d'abord, il y a cinq ans. Nana et moi avions eu envie de manger un soir avec Dédée et Amédée, comme ça, à l'amitié. Le repas avait été drôle, léger. Nous avions bien sûr évoqué ma paternité. Dédée campait sur ses positions « bouchères », et Amédée glissait de temps en temps une allusion laissant à penser que… Et Maman faisait semblant de se fâcher.

— Mais enfin, Amédée, tu sais pertinemment que tu n'es arrivé à Brive qu'en 1954… On s'est bien amusés, d'accord, mais après.

Et puis Maman est allée aux toilettes. J'ai regardé Amédée dans les yeux, et j'ai dit :

— Tu fais des allusions, on rigole, mais tu sais c'est important pour moi. Tu peux me dire dans les yeux si c'est toi, malgré ce qu'elle dit ?

Il est soudain redevenu grave. Il a baissé la tête et il a murmuré :

— De toute façon, tu es une « copropriété »…

Le temps que je regarde Nana, aussi troublée que moi, et que je relève la tête, Maman arrivait à la table.

Nous en sommes restés là.

Plus tard, j'ai pris Maman à part, à la maison. Nous avons parlé de la soirée et je me suis lancé :

— Pendant que tu étais aux toilettes, Amédée m'a dit que j'étais une « copropriété ».

Elle a eu un sourire tendu :

— Il dit n'importe quoi, tu le connais.

J'ai repris :

— Parce que si c'est une histoire de cul pour le cul à plusieurs, entre rugbymen, un soir de troisième mi-temps, je peux comprendre, tu sais, je l'ai fait… Et tu sais que je ne t'en voudrais pas.

Elle a encore souri, détendue, cette fois :

— Je sais, mon petit. Mais je te jure sur ma tête que c'est pas ça. Je te l'aurais dit. Et puis tu sais bien que le « cul pour le cul », comme tu dis, j'ai jamais aimé ça, et encore moins à plusieurs.

— Et alors, tu me jures sur ma tête que mon père, c'est bien Henri ?

Là, elle s'est braquée :

— Tu m'embêtes maintenant, ça suffit. On en a assez discuté pour ce soir ! Crois ce que tu veux, je t'ai dit la vérité, on va quand même pas en parler tous les quatre matins.

Il reste un dernier détail qui, si minime soit-il pourrait accréditer la thèse la plus sordide. Il date de ce soir, quand je suis allé confier à ma sœur ce que Pépée m'avait lâché hier. Elle a d'abord été bouleversée, et soudain, elle m'a dit :

— C'est étrange que tu me parles de cette histoire. Il m'est arrivé souvent de regarder des films à la télé avec Maman. Il y en a deux qu'elle ne supporte pas : *Dupont Lajoie* et surtout *L'Été meurtrier.*

Deux histoires de viol de jeunes filles. Avec dans *L'Été meurtrier* une violence collective de campagne pratiquement calquée sur ce qu'il est possible qu'il lui soit arrivé.

Encore une fois, je n'affirme pas. Je suppose. Tout ce mauvais film est surtout à sous-titrer de « peut-être ». Et si, pour finir, on ajoute à tout ça qu'il est aussi supposé que ce Raymond ait d'abord eu des rapports avec la mère de Maman, alors là c'est plus un film en noir et blanc, c'est une tragédie grecque ! Imagine ma grand-mère élevant de tout son amour, l'enfant que son amant a fait de force à sa propre fille.

Tragédie grecque ou Feydeau. Ça dépend de quel côté de l'histoire on se place. Moi qui suis pile au milieu, je te jure que je ne sais plus s'il faut en pleurer ou en rire.

Ça en fait de la matière à penser, tout ça ! Ça en fait des combinaisons à échafauder !

Et que me reste-t-il au bout des aveux que je viens de te faire ? Une sensation étrange et nouvelle. Un vide brûlant. Quelque chose s'est allumé en moi. Il va me falloir du temps pour bien analyser cette nouvelle donne des cartes. Parce que si jamais la dernière théorie, la plus sordide, était la bonne, il ne serait plus question de revanche, mais de vengeance. Et ça n'a jamais été ma motivation en quoi que ce soit.

Rappelle-toi ce que Maman m'enseignait :

— La vengeance ne fait du mal qu'à celui qui la nourrit.

On verra plus tard. Pour l'instant, mon esprit a bien plus à faire avec les derniers moments de souffrance de Maman. Et s'il y a, en plus, dans sa mémoire, cet abominable secret, j'en ai encore plus d'admiration pour elle. Si elle trimballe depuis ses dix-sept ans cette douleur supplémentaire, avec tant d'application pour que je l'ignore, elle n'en est qu'encore plus, l'être le plus merveilleux qui ait traversé ma vie. Et cette vie, c'est elle qui me l'a donnée ! Tu imagines la chance que j'ai ?

Va, Dieu ! Si vraiment tu existes, quel que soit le moment que tu choisisses pour lui reprendre son âme, tu peux te frotter les mains.

Tu vas faire une bonne affaire !

## MARTEL.
### *Nuit du 7 au 8 novembre 2008.*

Cette semaine de break, prévue de longue date, est arrivée à point. J'ai eu tout le temps de fouiller dans ma mémoire. Le rituel est le même chaque soir. Après le dîner familial, je regarde un peu la télé et je m'enfuis. Je pars au volant de ma voiture sur les routes désertes du Lot. Et là, je fais remonter dans ma tête des images que je projette en cinémascope dans la lumière des phares qui balayent la route. Calme. Seul. Mobile. Comme si j'avais un besoin absolu de cette sensation de glisse pour que les souvenirs s'impriment mieux. En mouvement. Toujours en mouvement, comme le chemin de vie parcouru. Des rires aux larmes, jamais de répit.

Vers une heure, j'ai atterri devant la maison endormie et je suis allé ouvrir doucement la porte de la chambre de Maman. Elle dormait. Elle dort de plus en plus. Dans la pénombre, on pouvait même se demander si elle était encore là, tant la bosse sous les couvertures s'est amenuisée en peu de temps. Encore une fois, j'ai contemplé longuement, avec une infinie tristesse, ce profil creux qui lui ressemble de moins en moins.

225

Rêve-t-elle ? Et si elle rêve, rêve-t-elle de ça :

« Joséphine Baker se penche sur mon berceau. Et après avoir déposé sur mon front un baiser de sa bouche immense, elle prédit :

– Ça va lui porter bonheur. Ce petit sera artiste. »

Ce n'est pas un rêve, c'est un souvenir. En 1954, Maman travaillait comme serveuse au buffet de la gare de Souillac, dans le Lot, à une dizaine de kilomètres de Martel. Expatriée de Juillac par nécessité professionnelle, elle n'aurait pas imaginé une seconde que sa vie finirait à un vol de moineau de là. Joséphine Baker possédait le château des Milandes. Une vaste demeure un peu plus lointaine, devenue une pouponnière d'enfants adoptés. Elle en avait fait le combat de sa vie. La star délurée, après des années de succès planétaire tout en provocation, avait décidé de donner enfin un vrai sens à sa vie : recueillir des enfants abandonnés du monde entier et les faire grandir dans la chaleur de son amour idéaliste.

Pour accéder au château, elle prenait le train de Paris et arrivait en gare de Souillac. Avant qu'une voiture l'emmène chez elle, elle mangeait toujours quelque chose au buffet. Et c'est Maman qui lui cuisinait ses plats préférés. Au point qu'elles s'étaient liées d'amitié. Ma présence, dans un coin, ne pouvait évidemment pas la laisser insensible. Mieux, elle avait même fait une proposition à Maman :

— Pourquoi, tu ne viendrais pas me faire la cuisine aux Milandes ? Il y a tant de bouches à nourrir et j'adore ta cuisine. Et puis tu es tellement courageuse.

— Vous êtes gentille, madame, avait dit Maman en rougissant.

Et Joséphine avait ajouté :

— En plus, comme tu es seule avec ton petit, tu logerais là-bas. Il est beau tu sais, mon château. Ce serait merveilleux pour le bébé. Il pourrait grandir avec d'autres enfants sans manquer de rien. Et, avec moi, ça lui ferait une maman de plus. C'est jamais trop.

— Si, justement ! Excusez-moi, madame, c'est peut-être égoïste, mais mon petit, je veux qu'il reste à moi toute seule.

Joséphine, comme me l'a raconté Maman, a eu une petite larme, et a dit en serrant très fort ses mains dans les siennes.

— Pardon, c'est moi qui m'excuse. C'est pas ce que je voulais dire. Ne dis pas que c'est égoïste, ça ne l'est pas. Au contraire. Ah, si toutes les mères pouvaient être comme toi !

— Vous auriez le château pour vous toute seule, a lancé Maman en souriant, mais vous vous ennuieriez !

Ainsi donc, j'ai été baptisé au rouge à lèvres épais par la plus sulfureuse des icônes du music-hall. Pas étonnant que je les aime autant, les petites fesses rebondies des danseuses black qui m'entourent !

227

Ce n'est pas la seule célébrité qui posera son ombre sur moi. Quelques années plus tard en 1960, à Tulle, Maman me brandira au passage du général de Gaulle, en visite officielle. Il mettra doucement sa main sur ma tête, comme pour me bénir. Bon, c'est pas pour autant que je craque sur les jolis militaires, mais ça me fait quand même deux belles onctions en guise de porte-chance.

Le pourcentage de chances de croiser ce genre de célébrités dans notre situation était quand même très mince. Le pourcentage de chances pour que des célébrités du même acabit se déplacent un jour pour moi était carrément nul.

Et pourtant, le jour de mes cinquante ans, le 14 novembre 2003, il y en aura de la star pour me fêter mon anniversaire ! Des acteurs, des chanteurs, des vedettes du petit écran à profusion, Le prince Albert de Monaco. Et surtout symbole extrêmement jouissif pour Maman : Bernadette Chirac. La première dame de France pour fêter une naissance pour laquelle Maman avait été traitée comme une des dernières !

On m'avait bandé les yeux pour la surprise et quand tout s'est éclairé, sous les applaudissements qui crépitaient, mes yeux n'ont cherché qu'un seul regard : celui de Maman. Je l'ai attrapé tout de suite. L'espace de quelques instants, on a été seuls au monde. Si on avait pu arrêter le temps et figer les autres on se serait sûrement dit ça :

– T'as vu Maman, cette fois on y est.

— T'as raison, mon petit, quoi qu'il arrive après, ça c'est fait.

— Tu te rends compte, tous ces gens pour nous.

— Non, pour toi.

— Non, pour nous… rien que nous.

J'ai fait ce détour par 2003 parce que si Maman rêvait ce soir, j'espère que c'est de ça. Ou des autres beaux moments : les standing ovations à l'Olympia, les éclats de rire, les guitares gitanes autour d'elle, les longues tables de famille quand il ne manquait personne à Noël.

Pourvu qu'elle rêve ça ! Pourvu qu'elle ait chassé de son monde onirique toutes les saletés, les trahisons, les visions d'horreur. Pourvu qu'Alzheimer ait passé une alliance provisoire avec Vaquez pour lui effacer le cauchemar de septembre 1990.

Les pompes funèbres avaient mal fait leur boulot en refermant le cercueil de mon fils. La chaleur, l'humidité et des joints mal finis l'ont fait exploser. Maman me l'a caché. Elle ne m'en a parlé que longtemps après que l'erreur eut été réparée. Les mots sont difficiles à écrire, mais encore une fois, ils vont te démontrer le courage inouï de cette femme rare : c'est elle qui a assisté à l'abominable spectacle de la récupération un par un des morceaux à demi décomposés du petit pour les remettre dans l'ordre dans un cercueil neuf.

Une horreur !

La loi exigeait la présence, outre un représentant de la police et un élu, d'un membre proche de la famille. Il était logique que ce fût moi. Elle a donné l'ordre qu'on ne me prévienne pas. Elle savait bien que si on m'en avait parlé, j'aurais accouru. Elle m'a, une fois de plus, protégé du pire. Elle a entaché sa mémoire pour sauver la mienne.

Peut-être trouves-tu impudique cet étalage morbide que j'aurai pu t'épargner. Je l'ai écrit plus pour moi que pour toi. Il participe de ma thérapie d'urgence. Balancer là ces extrêmes intimités tient plus de la confession que de la narration. Voire du vide-ordures. Il faut que je me débarrasse, que je nettoie… Ça ne me gêne pas que tu lises par-dessus mon épaule, mais je te jure sur sa tête, qu'avec ce qui tourne en ce moment dans la mienne, la solitude accablante dans laquelle je suis, et l'incapacité de ceux qui m'entourent à m'apporter le moindre réconfort, ce clavier est seul recours qui me reste pour survivre. Il n'y a qu'une seule personne qui m'empêche de sombrer totalement. Peut-être parce qu'elle ne sait pas encore parler, ça lui évite de se tromper de mots.

Souris-moi encore Lily !

Si tu veux que je te voie grandir, souris-moi, s'il te plaît !

Comme tu peux le constater, le combat est rude. L'abattement vient sans cesse me percuter de plein fouet. Allez, redresse-toi, Patrick ! Résiste ! Quitte à leur raconter tout de suite un souvenir insipide pour inverser le fléau de la balance. Une anecdote gaie. Pour finir la nuit un peu plus léger, pour t'endormir sans griffer les draps. Tu as le choix, il y en a tant, de ces éclats de rire stupides que nous avons partagés… Laisse-moi réfléchir… Attends…

Ça y est, j'en ai un !

C'était un soir de fête, au Turenne. Le petit homme était représentant en trousseaux de mariage. Paulo était un brave type qui buvait bien plus que sa carcasse étroite pouvait contenir. Pendant qu'il finissait de se déchirer, nous sommes sortis, Maman et moi, la malice dans les yeux, pour lui faire une blague de potache. Après avoir repéré son véhicule, nous avons consciencieusement enduit toutes ses vitres de blanc d'Espagne. Pour ceux qui l'ignorent, et qui pourraient faire un amalgame liquoreux, le blanc d'Espagne n'est pas seulement l'appellation d'un vin. C'est aussi le nom d'un produit de teinture que l'on applique avec un stick et qui, comme son nom l'indique sert à blanchir. Et nous avons tout blanchi, sans laisser le moindre interstice de transparence. Le but de l'opération était de tester le degré d'ébriété de Paulo. Détail important, cette nuit d'été était d'une clarté lumineuse.

De retour au bar, Maman a signifié à l'ivrogne qu'il était l'heure d'y aller. Et elle a ajouté en prenant le visage inquiet de circonstance :

— Fais quand même attention en voiture, il me semble que la brume s'est levée.

Paulo est sorti en titubant, suivi de près par tous les clients du bar, prêts pour le spectacle. Arrivé sur le trottoir, il nous a lancé :

– C'est bon, pas de problème… La nuit est claire.

Il s'est dirigé vers sa voiture et y entré en deux temps : un temps (deux minutes) pour arriver à en ouvrir la porte après une vingtaine d'essais pour enfiler la clé dans la serrure. Et un deuxième (une minute seulement), pour se glisser à l'intérieur après s'être assis deux fois sur le trottoir. Le fait qu'il ne se soit même pas aperçu de l'extérieur que les vitres étaient occultées, nous a remplis de bonheur. L'alcoo-blanco-test était positif : Paulo était raide bien au-delà de ce qu'on pensait.

Il était hors de question de le laisser partir dans cet état. Nous attendions juste la mise en route du moteur pour intervenir. Elle n'a pas eu lieu. Au bout de quelques minutes supplémentaires de suspense, il est ressorti tout aussi péniblement qu'il était entré. Nous sommes tous retournés nous installer au bar comme si de rien n'était. Il a retraversé la rue, toujours baignée d'une clarté limpide. Il a poussé la porte et s'est assis de justesse sur la première chaise à portée de fesses.

Maman a lancé :

– Et alors, tu pars plus ?

Paulo a bredouillé :

– Non… T'avais raison, il y a trop de brouillard !

Voilà ! Une petite anecdote de secours. Insipide en écho à l'inacceptable. Parce que la vie est ainsi. Parce que peut-être demain, le vent viendra chasser les nuages, avant la prochaine averse. Parce qu'on est bien obligé de faire avec. Aurai-je encore la force de rire d'une bêtise infime après le départ de Maman ? Sûrement, à l'occasion. Et si je n'en ai pas l'envie, je m'y forcerai, par devoir de mémoire. Parce qu'elle m'a élevé comme ça. Pour que le futile soit toujours l'exutoire du grave. Ça y est, ça va mieux…

À demain.

## MARTEL.
### Nuit du 8 au 9 novembre 2008.

C'est une photo de mariage en noir et blanc passé. Par une belle journée de 1942. Pépée me l'a sortie de ses cartons à mémoire et nous avons passé une heure à parler en essayant de la déchiffrer. C'était le mariage du frère de mon grand-père, auquel assistaient trois des cinq sœurs, mon grand-père, ma grand-mère et les amis de la famille.

— Tu vois, en haut, c'est Raymond. Il doit avoir vingt ans. Ta grand-mère est là, en dessous, elle en a trente-trois.

— C'est plausible qu'ils aient eu une relation.

— Pourquoi pas. C'est vrai que Raymond était très souvent à la maison.

— Elle a eu des aventures, ma grand-mère ?

— C'est possible. Comme la vie était rude, il y a dû avoir des profiteurs. Ça arrivait souvent que les femmes les plus propres se laissent aller quand l'homme apportait du gibier, un peu de charbon.

— C'était le tarif ?

— Non, ne confonds pas. C'était de la reconnaissance, juste.

— La différence est mince.

— C'est vrai, mais il n'y avait pas de vice. Je ne dis pas qu'elle l'a fait, je dis que c'est possible. Et, si ça avait été le cas, est-ce que c'est si grave ? J'en connais aujourd'hui qui prennent des pensions alimentaires confortables, et ça n'a rien d'alimentaire justement !

— Je ne te le fais pas dire !

Nous avons souri tous les deux et j'ai désigné Raymond, en disant :

— C'est vrai que physiquement, par rapport à moi, là aussi c'est plausible.

— Il était même d'accord pour te reconnaître, il y a vingt ans.

— Je sais, Maman me l'a dit le soir de l'enterrement du petit. Seulement voilà, il y a vingt ans, j'étais célèbre. Ça change tout. C'était un peu tard.

— Ça dépend, si tu considères que quand tu es né, d'abord, il était marié et qu'en plus il avait la trentaine alors que ta mère n'en avait que dix-sept.

— Mais dis-moi, en cas de viol, ça aurait pu lui coûter très cher ?

— C'est vrai. C'est peut-être pour ça aussi que ta mère n'a pas porté plainte. Mais là on s'avance un peu trop. Viol est un mot fort et surtout absolument pas prouvé. Quand elle m'a dit qu'ils l'avaient coincée, elle m'a dit aussi qu'il ne s'était rien passé.

— Donc, je résume : le soi-disant « viol » est juste une probabilité. Par contre pour toi, la paternité de Raymond est beaucoup plus certaine.

— Oui. Absolument. Sur la photo de ton mariage à dix-sept ans, tu es le sosie de sa sœur. Ça m'a sauté aux yeux. Et puis, il y a une dizaine d'années, j'ai revu un copain de la bande des jeunes de Juillac de cette époque. Il m'a dit : « C'est dégueulasse d'avoir fait porter le chapeau à Henri, on savait très bien que c'était Raymond ! »

Toute la conversation avec Pépée a accrédité ma thèse nouvelle, avec un énorme point d'interrogation sur une relation forcée. J'ai continué à déchiffrer la photo. Maman y était au premier rang dans une magnifique robe blanche. Et soudain quelque chose qui n'a absolument rien à voir avec mon passé m'a sauté aux yeux : une ressemblance incroyable entre Maman et… Lily. Une synchronicité photographique sans aucune logique, mais bien réelle. Un clin d'œil du destin. Je me suis précipité pour réveiller Nana et lui montrer ma découverte. Pour être bien sûr que je ne me faisais pas des idées. Elle a écarquillé les yeux et m'a dit :

— Tu ne te trompes pas. C'est troublant !

Et je me suis remémoré le dîner de ce soir. Nous aurions dû être dix autour de la grande table. Maman, moi, Camille, Nana, Isabelle, son mari Mitch et leur fils, Serge (un fidèle), Pépée et sa fille Marie-France qui était venue suppléer Isabelle au chevet de Dédée, comme elle le fait, elle aussi, avec dévotion depuis quelques mois. Mais Maman n'a pas mangé avec nous. Elle ne sort plus de sa chambre. Elle n'a plus la force de parcourir les quelques mètres séparant son lit de la cuisine. Nous étions donc neuf, et la place de Maman en bout de table était vide. Personne n'avait osé la prendre. Nana y a accroché Lily dans sa chaise de bébé. Comme un symbole. Une continuité inévitable qu'elle a dû supposer réconfortante pour moi. Elle a eu raison.

À la fin du repas, je suis allé dans la chambre de Maman. Le choc a été rude. Elle était assise sur son fauteuil, une serviette autour du cou, et une tablette de bois calée sur les accoudoirs… Comme une chaise de bébé. D'un enfant à l'autre. Elle tentait de manger avec peine un peu d'une nourriture hachée pour elle. J'en aurais chialé, de la voir porter la petite cuillère à sa bouche avec une lenteur infinie. Comme si elle pesait des tonnes. Elle n'a même pas trouvé la force de me parler. Je suis sorti en colère et je suis allé donner des coups de poing aux murs sur la terrasse. Je sais qu'elle nous a habitués à renaître un peu à chaque fois, mais là, le spectacle devient de plus en plus insupportable.

Et puis d'abord, c'est qui, cette vieille dame décharnée ?

Qui lui a donné l'autorisation de venir mourir chez moi ?

Qu'est-ce que vous dites ?

Mais non, voyons, ça ne peut pas être Maman. Maman, c'est une femme ronde, vive, qui râle tout le temps, qui sourit, et qui déborde d'énergie. Cette vieille dame en ruine, c'est pas elle !

En fait, j'ai eu trois Mamans dans ma vie. La première : « Dédée, la belle », la deuxième : « la Maman de Patrick Sébastien ». Et puis, la dernière : cette ombre, ce fantôme que je ne reconnais plus. Et plus je le regarde ce fantôme, plus me reviennent les images de « Dédée la belle », la première. Avec une précision comme je n'en ai jamais connu. J'avais presque oublié qu'elle avait été si jolie, si douce avec moi. Il y a des morceaux de film bien précis qui resurgissent d'un coup.

Flash-back sur une nuit où il faisait froid, très froid. J'avais cinq ans. La maison de mes grands-parents n'était évidemment pas chauffée. C'était un hiver d'avant, un vrai. Avec le givre aux carreaux où je dessinais du doigt des cœurs et des étoiles.

– Maman, viens dormir avec moi, j'ai froid.

– Tu sais bien que Mémée ne veut pas.

– Viens.

Elle s'était glissée doucement dans le noir, mais au bout de quelques secondes seulement la lumière s'était allumée.

– Dédée, sors de là, a ordonné gentiment ma grand-mère. Il ne faut pas habituer les enfants comme ça. C'est pas bon pour eux.

– Mais il a froid.

– Alors, on va faire un « moine ».

J'ai toujours haï les « moines », et ça n'a rien à voir avec mon anticléricalisme primaire. Quoique, va savoir si cette homonymie malheureuse ne m'a pas conditionné à jamais ? On appelait « moine », une sorte de grand assemblage de bois long, courbé et ovale, au milieu duquel pendait une casserole dans laquelle on mettait des braises ardentes. On glissait la lourde carcasse sous les draps un quart d'heure avant de se coucher. Quand on la retirait, les draps étaient chauds et on pouvait se glisser dedans sans frémir en attendant que la chaleur naturelle du corps prenne le relais.

Cette nuit-là, le temps de descendre faire chauffer les braises dans la cheminée, d'installer le « moine », et qu'il fasse son effet, ma grand-mère s'était assoupie depuis longtemps. Je me suis glissé dans les draps chauds et Maman m'a rejoint. J'ai eu droit à la double chaleur.

– Endors-toi, m'a murmuré Maman. Moi, je ne dors pas. Je m'en irai tout doucement avant le matin pour qu'on ne se fasse pas prendre.

C'est fou ce qu'une nuit buissonnière peut marquer un enfant à vie. Ce n'était pas pour embêter grand-mère, qui avait sûrement raison, mais cette désobéissance complice nous inventait une fusion tellement différente.

Je me souviens aussi qu'il y avait, accrochés au mur de la petite chambre, des morceaux de bois vernis sur lesquels étaient dessinés des palmiers et la mer de la Côte d'Azur. « Souvenir de Saint-Raphaël » avait été tracé au pinceau blanc. Sûrement un lointain cousin de passage qui nous avait offert ça en trophée exotique.

– Dis Maman, il faut être riche pour habiter là-bas ?

– Ah, ça oui… Très riche.

Les pauvres de Saint-Raphaël ne pouvaient pas imaginer la fortune que leur fabriquaient les rêves des enfants d'ailleurs !

Quand, chaque été, je contemple les lumières de la Riviera, assis sur la terrasse de la villa que je loue à Cannes, je repense à chaque fois au bois verni, au « moine », et à Maman. Tu sais, la première, « la belle ». Celle qui me faisait tourner sur les manèges, et après dans ses bras au bal du samedi. Celle qui séchait mes larmes quand les cris des chevreaux, si semblables aux pleurs des bébés, me déchiraient le cœur, à chaque marché aux bestiaux sous nos fenêtres. Celle qui m'apportait ma glace à la pistache, chaque après-midi d'été pour me récompenser d'avoir bien fait la sieste. Celle qui tenait du bout des doigts, sur mon cahier quadrillé, la feuille de platane dont le maître d'école m'avait demandé de dessiner les contours. Celle qui prenait mes petits doigts à pleine bouche pour dégeler l'onglée que m'y avait incrustée la fabrication méticuleuse de mes bonshommes de neige…

… Celle qui baissait la tête avec moi dans le bureau du directeur au premier jour du cours élémentaire à l'école nouvelle de Tulle. L'instituteur, quelques heures avant, m'avait demandé comme à tous les élèves, de remplir la fiche d'identité.

Nom : Boutot.

Nom de jeune fille de la mère : Boutot.

Ça va te paraître ahurissant de bêtise aujourd'hui, mais l'instituteur, après avoir contrôlé ce que j'avais écrit, s'est mis à hurler :

— Je vous préviens, élève Boutot, que vous n'allez pas vous ficher de moi longtemps. À peine arrivé, vous faites le malin. Je vais vous dresser, moi.

— Mais qu'est-ce que j'ai fait ? J'ai pas de père. C'est pas de ma faute.

Toute la classe avait éclaté de rire devant son air désemparé d'avoir fait une bourde aussi grossière. Il fallait qu'il sauve la face. Il hurla :

— Et vous répondez, petit insolent ! Allez, chez le directeur.

Il m'y a traîné par l'oreille. Une demi-heure plus tard, ma mère, convoquée, arrivait catastrophée.

— Qu'est-ce qu'il a fait ?

C'est moi qui ai répondu :

— Je me suis fait engueuler parce que j'ai écrit que j'avais pas de père.

Le directeur a pris son ton le plus sévère :

— Allons, allons… D'abord on ne dit pas « engueuler », et ensuite c'est faux. Monsieur l'instituteur ici présent en est témoin. Et ce n'est pas très bien de mentir. D'autre part, votre fils, madame, a été insolent et malpoli. Je ne sais pas quelle éducation vous lui donnez. Ici, on ne prend pas du bon temps, on travaille !

Il avait dit ça en regardant Maman, « la belle », avec un regard dégoulinant de mépris. En un clin d'œil, il s'était fait son idée. Fille mère, jolie, donc forcément dévergondée, devant élever son enfant entre luxure et laxisme.

Maman m'a regardé dans les yeux et m'a demandé :

— C'est vrai ce que dit le directeur ?

— Non, Maman… Non.

— Vous n'allez quand même pas le croire, ils mentent tous à cet âge, s'est écrié l'instituteur.

— Tous peut-être, mais pas lui, en tout cas pas à moi, a répliqué Maman du tac au tac.

Il y a eu un long silence et le directeur s'est levé, solennel.

— Bien… Sachez madame que dans cet établissement, il est hors de question que ce soient les élèves et encore moins leurs parents qui fassent la loi, en conséquence…

Maman l'a interrompu.

— Excusez-moi monsieur le directeur d'avoir défendu mon fils, mais nous sommes depuis peu à Tulle et je ne voudrais pas être obligée de partir parce qu'il ne pourrait plus aller dans cette école. Mon mari a eu tant de mal à trouver un travail.

— Madame, ce n'est pas mon problème. Je reprends : en conséquence de quoi…

Elle l'a interrompu de nouveau :

— Ça me ferait aussi de la peine de quitter les quelques copines que j'ai eu le temps de me faire. Surtout Régine, vous savez, le café, rue Victor Hugo. Elle m'a dit que vous la connaissiez bien…

Le directeur s'est raidi d'un coup. Il a ouvert la bouche, a semblé étouffer, puis en reprenant son calme, a déclaré avec un léger sourire apaisant :

— En conséquence de quoi… Nous ne sommes quand même pas des monstres. Je demanderai juste à votre fils de faire des excuses à monsieur l'instituteur et de promettre de se bien conduire.

À contrecœur, j'ai fait les excuses demandées. Une fois dans le couloir, j'ai fait remarquer à Maman…

– Le directeur, il a dit : « Se bien conduire. » On dit pas plutôt : « Bien se conduire » ?

– Peut-être on dit les deux.

– Moi je suis sûr qu'il a fait une faute.

Elle a éclaté de rire.

– Ça, c'est sûr, il a fait une faute

– Ah, tu vois !

Maman m'a appris ce jour-là que les méchants ont toujours quelque part une Régine bien embarrassante. Je m'en suis beaucoup servi depuis.

Cette Maman-là, « la belle », m'a beaucoup appris de la vraie vie. La deuxième, « la Maman de Patrick Sébastien », m'en a appris tout autant.

Mais, hélas, j'ai eu l'occasion de lui en apprendre aussi.

En 1992, le restaurant La Table au fou était sous-titré sur la façade « Chez la maman de Patrick Sébastien ». L'expérience des canards prescrite, et TFI ayant largement rempli mon escarcelle, c'est moi qui ai proposé à Maman de tenter une revanche. Pas question de faire un « Turenne bis », oh non ! Mais un restaurant semi-gastronomique de bonne tenue, qui, cette fois, serait un vrai succès, fort de la leçon des expériences passées à ne pas renouveler.

— Ça, ça risque pas, m'avait claironné Maman. Crois-moi, j'ai compris.

J'ai acheté une maison en ruine, et nous y avons fait un hôtel-restaurant d'une dizaine de chambres, avec un vrai chef pour régaler les palais les plus délicats.

Ça, pour régaler, elle a régalé, Maman ! Toujours les mêmes, hélas !

Si jamais tu souhaitais (on ne sait jamais où peut se nicher le masochisme) connaître la recette d'un échec assuré dans la restauration, je vais te la donner :

1) Prends un lieu perdu dans la campagne, mais où tu pressens que les gens seront tellement bien qu'ils feront des kilomètres pour s'y rendre.

2) Aie la chance d'avoir un propriétaire qui ne met jamais le nez dans les comptes (un fils artiste, par exemple) et qui te fait une confiance totale pour en gérer le bon fonctionnement.

3) Mets une pincée de jalousie locale et un zeste de méchanceté chronique de voisinage.

4) Demande à des amis de venir te donner un coup de main, chaque fois que tu fais de gros banquets, des mariages, etc. Puis pour les récompenser de t'avoir aidé, offre-leur un super-gueuleton bien arrosé, dans lequel tu engloutiras immédiatement les bénéfices réalisés avec leur participation.

5) Ajoute à tout ça une générosité maladive te faisant faire des crédits ou des cadeaux à tous clients de passage un tant soit peu dans la peine.

6) Et pour finir, dès que l'affaire s'avère déficitaire, n'hésite pas à arroser tout ça d'une utopie flamboyante, en déclarant à chaque demande de comptes du propriétaire : « Ne t'en fais pas, dans un mois, tout sera clean ! »

P.-S. : Il est évident que le numéro 6 doit être réactualisé tous les trente jours.

Voilà ! Maman a appliqué la recette à la lettre. Et cerise sur le gâteau, le lieu-dit où se situait le restaurant s'appelait Le Pigeon. Ça ne peut pas s'inventer !

J'avais envie d'en plaisanter un peu. Mais que ce fut triste ! Oh, pas la perte financière, tu sais ce que je pense de la valeur de l'argent. Mais Dieu qu'il m'a été difficile, au dernier jour, de parler à Maman comme à un enfant qui a fait une grosse bêtise !

– Allez, ça suffit maintenant. Quand j'ai failli virer voyou, tu m'as bien fait comprendre que je n'étais pas fait pour ça. Désolé Maman, mais tu n'es pas faite pour le commerce. Ça va pas avec généreux. Tout cet argent gâché, j'aurais préféré que tu t'en fasses des cadeaux à toi, rien qu'à toi. Je sais pourquoi tu as insisté jusqu'à l'irrémédiable. Pour me prouver que tu pouvais tout vaincre. Pour que je t'admire. Mais je t'admire pour bien plus. Je t'admire juste pour ce que tu es et ça suffit largement. Alors, à partir de maintenant, tu vas vivre pour toi. Tu vas te faire plaisir. Aller dans les plus beaux hôtels, dans des thalassos te faire chouchouter. Tu vas profiter, t'occuper de ton bien-être, de ta santé, et tu vivras heureuse jusqu'à cent ans.

Je ne pouvais pas lui offrir mieux. Elle n'a même pas protesté, même pas tenté de se justifier. Elle a effectivement commencé à parcourir les plus beaux endroits de France où on la dorlotait, où on la traitait comme une princesse.

Et tu sais quoi ? C'est là qu'elle est définitivement tombée malade.

Alors, j'ai beau me dire que la maladie n'est que le résultat de tous ses efforts, tout ce stress à vouloir réussir à tout prix, je ne peux pas m'empêcher de m'en attribuer une part de responsabilité. Patrick Sébastien, avec son argent, ses relations, lui a offert tout ce qu'un fils digne de ce nom rêve d'offrir à sa mère. Le calme, le repos bien mérité, le luxe, la considération. Mais est-ce que cette femme-là, battante chronique, qui ne trouvait sa véritable force que dans l'adversité, était faite pour cette vie de rêve ?

Il n'y a que moi pour me poser cette question.

Chacun s'incline avec respect devant tout ce que j'ai effacé et reconstruit pour elle. Mais au fond de moi, tout au fond, je crains bien que la vieille dame que je ne reconnais plus, ma dernière mère, ce soit un peu moi qui l'ai conduite, bien malgré moi, vers ce naufrage.

C'est aussi pour cela que j'ai tant de mal à les vivre, ces derniers instants. C'est une angoisse que je ne lui confierais surtout pas, je sais ce qu'elle me dirait :

– Tu es fou, mon petit. Tu m'as donné bien plus que n'importe quel fils peut donner à sa mère : l'amour absolu, la fierté, la revanche, le bonheur de te voir heureux. Tu n'as jamais laissé tomber ni ton frère, ni ta sœur. Tu as toujours été là pour les autres. Je n'accepte pas que tu t'en veuilles une seule seconde. Ma maladie, c'est à mon destin que je la dois. Parce que Dieu, auquel moi je crois, l'a décidé ainsi. S'il te plaît arrête de penser à ça, ça me fait trop de peine. Tu veux quand même pas que je m'en aille triste ?

Bien sûr que non, Maman, bien sûr que non !

Une vieille dame décharnée est en train de s'éteindre dans ma maison.

Qui lui a permis d'entrer ?

S'il vous plaît, rendez-moi mes deux Mamans d'avant, les vraies !

Si les deux c'est pas possible, rendez-moi seulement la première :

« Dédée, la belle ».

## MARTEL.
### *Nuit du 9 au 10 novembre 2008.*

Ce ne sera donc pas la date anniversaire de la mort du général de Gaulle. C'est toujours ça de gagné !

Ce soir, rien ne vient. Ma mémoire se tait. Un brouillard épais s'est installé dans ma tête. Il ne veut laisser passer ni mes rayons de soleil, ni mes averses passées. Rien. La journée a été le calque de la précédente. Du côté de Maman, rien de mieux, rien de pire. Une journée terne, sans humeur. Pas le moindre état d'âme compulsif. Un chiffre de plus à la date, c'est tout. C'est une torpeur sans odeur et sans saveur. Je balance entre résignation et indifférence. C'est peut-être le moment de faire un bilan, après presque un mois de clavier de nuit.

J'ai entrepris une écriture d'urgence après que les médecins m'ont diagnostiqué le départ imminent de la femme de ma vie : Maman. J'ai vomi, nuit après nuit, mes doutes, mes souffrances enchevêtrées avec nos souvenirs. Des bouts de voile se sont levés sur la vérité de ma naissance. J'ai essayé de peindre au plus juste chacun de mes ressentis sans en masquer le moindre détail. J'ai oscillé en permanence entre l'envie de tout dire et la tentation de me taire.

Vingt fois, j'ai failli bleuir cette logorrhée écrite, et appuyer sur la flèche à tout effacer. Vingt fois, j'ai renoncé, le ventre douloureux, comme tordu par une poigne maléfique. La brûlure d'écrire est au moins égale à celle de ne pas le faire. Et pourtant je sais que c'est inutile, dérisoire.

Et soudain, dédoublé, à l'affût derrière la grande baie vitrée, je me contemple.

L'homme est gras, presque vieux. Il allume cigarette sur cigarette. Pas la peine qu'il l'écrive, on voit bien qu'il est triste. Désemparé. Autant par la situation qu'il vit que par sa vie de rêve qui agonise aussi. Lui non plus, comme sa mère, ne le sait pas, mais il est en train de mourir. D'une maladie sans nom qui va lui laisser encore, s'il le souhaite, de longues années de sursis. Mais il meurt. D'avoir trop ri, trop étreint, trop gagné. D'avoir surestimé son petit moi, aveuglé qu'il était par des sunligths de petit voltage. Son chemin escarpé et semé d'embûches l'a mené jusqu'à la cime de la montagne qu'il désirait gravir. Arrivé tout en haut, il croyait découvrir l'horizon à perte de vue. Hélas, des montagnes encore plus grandes lui en masquent la vue. Finalement, il n'est pas monté si haut que ça, l'homme. Il en a eu juste l'illusion parce que la pente était raide.

Mais à quoi est-il arrivé au juste ?

Il est célèbre. Il vit dans le confort. Il est encore en bonne santé. Il fait le travail qu'il aime. Bravo ! « Y en a un peu plus, j'vous mets tout ? » Non, merci !… Pourquoi ? Parce que l'homme n'aime plus ce qu'il est. Parce qu'il sait que, sans bruit, sans sursaut, sans vagues, il peut finir sa vie tranquille, à l'abri du besoin. Sans autre souci que de faire perdurer sa petite image sympathique de marchand de rêves. D'hommages en commémorations. Pas la peine qu'il en fasse plus, ce qu'il a été est bien suffisant pour lui assurer la reconnaissance aimable des nostalgiques. De quoi glisser tranquillement jusqu'à la fin, sans inquiétude majeure, le corps au repos et la conscience satisfaite du devoir accompli.

Seulement voilà, sa conscience n'est pas d'accord, mais alors pas du tout ! Et quand elle lui parle, elle éructe, elle bouillonne :

— Est-ce qu'une bonne fois pour toutes tu vas enfin bouger ton gros cul de parvenu ? Est-ce que tu vas enfin te décider à les cracher tes colères ? Est-ce que tu vas enfin le prendre pour de bon le risque de tout perdre pour tout gagner ? Tu es d'une extrême lucidité sur la société qui t'entoure. Tu as l'habitude des mots, le verbe généreux, le pouvoir de convaincre. Qu'est-ce que tu attends ? Les hommes de pouvoir, politiques et médias sont en train de cadenasser la pensée. Ils abusent de tout. Ils sont corrupteurs pour les plus forts et corrompus pour les plus faibles. Ils sont devenus des tyrans ordinaires qui ont englué le petit peuple dans une mélasse d'interdits, de subordination à leurs désirs les plus vils. À travers le portable, Internet, les journaux, la pub et la télé, ils ont annihilé la moindre prétention d'exister en dehors de leurs codes. Ils poussent chacun à rentrer chez soi. À se barricader. Pour cela, chaque jour ils brandissent des peurs nouvelles. Ils n'ont plus le moindre respect pour l'individu. Ils ont parqué l'ensemble de la population en panel. Ils briment, délocalisent, excluent, matraquent, endorment, suicident. Ce n'est ni une révolte, ni une révolution qu'il faut déclencher. C'est une guerre. Une guerre des obligations, des priorités, des recours, si on veut éviter l'autre, la vraie. Celle qui posera un jour des bombes à l'aveugle. Parce que tout désespoir fait le nid de l'ultra-violence. Alors qu'est-ce que tu attends pour quitter l'arrière-garde ? J'en crève de te voir te complaire dans le moelleux alors que tu es fait pour les barbelés. Lâche-toi, va les rassembler ! Monte au front ! Parcours la France de tribunes en tribunes pour hurler au peuple ce que plus personne ne gueule à sa place ! Sans parti, sans calicot. Ne te contente pas d'écrire ces mots dans un livre que si peu de gens liront… Même si toutes ces élites te méprisent, tu as bien plus de pouvoir que tu ne le crois. Le jour où Maman quittera ce monde, ce sera ton signal de départ. Et tu sais ce que je crois ? Qu'elle part pour ça. Bien sûr, c'est un peu tôt pour elle, mais c'est seulement parce que après, ce serait trop tard pour toi. Il se peut que tu n'entendes pas ce que je te demande ce soir. Que tu le classes au dossier des délires passagers pour cause de blues. Tu sais très bien que ce n'est pas ça. Et si jamais tu décidais de te contenter de n'être que ce que tu es aujourd'hui, quand tu reliras ces lignes au soir de ta vie, ne t'étonne pas d'avoir honte. Ne t'étonne pas d'avoir au moment de mourir un sale goût dans la bouche. Je t'en supplie, fais le bon choix ! Et ne t arrête surtout pas aux amusés, aux incrédules, aux « aquoibonistes ». Bien sûr ils vont railler. Bien sûr les journaux vont écrire que tu es devenu fou, mythomane et qu'il est totalement aberrant d'avoir fait tourner les serviettes avant de bousculer les consciences. Que tu es insipide, bêtement idéaliste et que tes péroraisons sont démagogiques et sans consistance. Attends-toi au pire. Mais, même si tu dois prêcher devant des auditoires clairsemés, lance-toi ! Lâche ton confort, ton train-train. Bouge ! Va soutenir les plus faibles en anonyme comme tu te l'es promis. Mais prends ton bâton de pèlerin et va faire le tribun, en plus. Va écumer les villes, les campagnes, tant que tu en as la force, pour tenter d'agglomérer autour de toi tous ceux qui ne veulent plus être des jouets, avec une clé dans le dos et des piles dans le cul ! Ils sont bien plus nombreux que tu crois à attendre un héraut… Pas un héros, un porte-voix !

Ainsi parlait la conscience de mon double, ce soir, derrière la baie vitrée. C'était dans la nuit du 9 au 10 novembre 2008, vers trois heures.

Dehors, le vent soufflait en rafale.

Aussi.

Peut-être était-ce effectivement un blues passager ?

Ou un remplissage mécanique parce que les souvenirs ne venaient plus.

Pas sûr !

## MARTEL.
## *Nuit du 10 au 11 novembre 2008.*

La machine humaine est décidément une énigme indéchiffrable. Hier soir, rien ne venait. Ma mémoire ne répondait à aucun appel. De plus, tu as dû t'en apercevoir, mon abattement était absolu. Physiquement et moralement, je défaillais dangereusement. Je ne renie rien de ce que je t'ai confié. Surtout pas, c'était l'instant. Et brusquement, ce soir, je ne sais par quel miracle, je suis totalement regonflé. De plus en plus solide. Et j'ai, en plus, la conviction que ce n'est pas passager. J'ai déjà connu cet état second fait de certitude et d'invulnérabilité. Comme si du ciment avait brusquement envahi mes veines et mon esprit.

Et pourtant, aucune nouvelle enthousiasmante n'a égayé ma journée. Bien au contraire. Louis continue à lutter à l'hôpital de Limoges en attente d'une greffe de moelle incertaine. Tout est prêt, mais sa santé est si chancelante que ce serait une pure folie. L'aberration est que, la plupart du temps, il manque le donneur. Ce n'est pas le cas. Son frère, compatible, est sur le qui-vive. Tout est prêt à l'hôpital de Clermont-Ferrand pour tenter l'ultime recours. Malheureusement, les infections s'acharnent sur le pauvre gamin et retardent la faisabilité.

Du côté de Carcassonne, l'état de René Coll est devenu alarmant. La chimiothérapie a déclenché une très grave infection pulmonaire qui a nécessité l'intubation et la mise en coma artificiel. C'est te dire à quel point la journée a été cauchemardesque, l'oreille collée au téléphone, de contrariétés en déchirements.

Il y a des années comme ça. Serial douleurs !

Quant à Maman, le teint se grise et elle continue à rétrécir. Perdue dans le lit trop grand pour elle, elle est là sans y être. Elle fait répéter chaque phrase, articule avec peine le peu de mots qu'elle lâche. Résignée, épuisée. Mais elle n'a toujours pas évoqué la crainte d'une issue dramatique. À aucun moment. Elle s'accroche, c'est tout. Toujours sans plainte, sans questions, le regard rivé sur une télé qu'elle semble fixer sans la voir.

Donc, absolument rien de réconfortant. Et pourtant, un état d'âme nouveau s'est installé en moi. Une robustesse, une volonté surprenante. Je me remémore mes découragements tout juste récents comme si c'était ceux d'un autre. Les souvenirs qui me fuyaient encore hier m'arrivent en surnombre. N'ayant rien consommé qui puisse me rendre euphorique à ce point, je n'y vois qu'une explication : l'âme de Maman commence à s'enfuir, et de ce fait, vient, pan après pan, se poser près de moi pour me consolider.

C'est un phénomène que je connais malheureusement très bien. J'ai eu récemment l'honneur de croiser, dans les coulisses d'une émission de Thierry Ardisson, le professeur

Cyrulnik, l'instigateur du concept de résilience. Un homme fascinant avec lequel j'ai échangé quelques-unes de mes théories métaphysiques. En humble dilettante, bien sûr, fasciné et honoré à la fois de pouvoir débattre avec cet homme d'une connaissance et d'une simplicité forçant le respect. Nous n'étions pas si éloignés que ça, moi le candide, lui le maître, sur le fond des choses. La résilience qu'il prône, je l'ai appliquée bien avant de savoir qu'on la nommait ainsi, en Monsieur Jourdain de la longanimité.

Il m'a surtout intéressé quand il a évoqué le fait que pour lui, le corps et l'âme étaient une entité indissociable. Je n'ai pas eu la présence d'esprit de demander si, lorsqu'on enterrait le corps, on enfouissait l'âme avec. J'aurais dû, parce que mon assertion, tout en s'approchant de sa théorie, doit s'en détacher un peu. Pour moi, je te l'ai déjà dit, les âmes ne s'envolent pas dans un quelconque paradis au-dessus des nuages. Le corps, une fois éteint, n'est qu'une matière décomposable sans plus d'importance que n'importe quel résidu d'animal, de plante ou de roche. Ce qui reste (appelons donc ça âme, faute de mieux), s'éparpille au plus près des êtres les plus aimés. Je crois profondément à ce phénomène.

À la mort de mon fils, j'ai senti une force étonnante prendre immédiatement le pas sur l'abattement. Cette force m'a conduit sur scène le soir même, m'a fait tenir étonnamment droit, pendant tout le chemin du deuil. Je suis persuadé que ce sont les morceaux d'âme de mon fils qui ont étayé ma douleur. Et ces fragments sont venus me soutenir dès que j'ai appris la nouvelle. Comme s'ils avaient été transférés dans l'instant, pour ma sauvegarde. La brutalité du départ explique la soudaineté de l'aide inattendue. La force que je ressens ce soir est du même ordre, de la même famille.

Moins abrupte, s'installant réellement mais montant en puissance au fil des heures. Comme si tout ce qui se vide de Maman me remplissait inexorablement. Cela suppose que, plus je vais acquérir de solidité, plus la fin sera proche. Je le redoute et en même temps je ne peux que le constater. Au bout d'un mois de chaos, de failles destructrices, de renoncements qui me remplissaient d'idées noires, me voilà donc à nouveau en granit, comme je l'ai été dans les mois qui ont suivi la mort du petit.

S'il n'y a qu'une leçon à tirer de ça, c'est un message d'espoir pour tous ceux qui pressentent qu'ils n'auront pas la force de survivre à un deuil violent. Si vous avez aimé suffisamment celui qui part, les parcelles invisibles de lui vous en soutiendront d'autant plus. Par contre, si votre amour était menti, je crains que ces ondes invisibles vous fassent basculer plus qu'elles ne vous porteront. Dommage !

Moi ça va. Et quoi qu'il en soit, je sais que maintenant ça ira. Ma tristesse sera immense bien sûr, mais je garderai toujours un sourire en coin. Maman est déjà là, tout près.

Ma belle sentinelle !

Ma mémoire à nouveau réveillée m'évoque une pêche miraculeuse. Le lever d'une palangrotte où scintilleraient des dizaines de poissons souvenirs. Ayant définitivement abandonné la chronologie, je vais tirer des lignes jusqu'à la fin de ce livre. Des tas de moments pêchés çà et là, pour te parler encore et encore d'elle et moi. La transcription des dialogues précis du moment sera bien évidemment enjolivée pour l'écriture, mais chaque récit sera fidèle à la réalité. En tout cas à ce que ma mémoire me souffle. Et c'est fou, d'ailleurs, comme des tas d'anecdotes que j'avais presque oubliées me reviennent, précises, comme des vieilles pellicules retrouvées au fond d'un grenier.

La première palangrotte est une ligne de cinq cents kilomètres de long. De Paris à Martel et de Martel à Paris : la nationale 20. Et, accroché à elle, des dizaines de souvenirs. Beaux, tragiques, essentiels. Cette nationale, je la connais dans ses moindres virages. Je l'ai empruntée des centaines de fois, dans les deux sens. Depuis que j'ai arrêté les spectacles, pratiquement chaque semaine. Demain soir, je vais encore la dérouler sous mes roues pour remonter à Paris. Maman, avant de partir, me demandera comme toujours :

— Tu m'appelles en arrivant ?

Et j'appellerai comme toujours, arrivé aux quais de Seine à quelques encablures de la maison, pour la rassurer.

— J'ai eu un peu de brouillard, mais ça va. À demain !

— À demain, mon petit !

Et je sais déjà que cette route, qui, malgré la distance, ne m'a jamais paru si longue que ça, me semblera interminable quand je n'aurai plus personne à appeler en arrivant.

Martel, Brive, Limoges, Châteauroux, Vierzon, Orléans, Paris. Et inversement. Un trait dans la nuit, la plupart du temps. L'axe de ma vie. Qu'il pleuve, qu'il vente. La « 20 », et tous ceux qu'elle nous a pris.

Parce qu'on en a laissé du monde, à mi-chemin ! Des copains retournés, encastrés, brûlés vifs, du temps où il n'y avait pas encore de double voie. Un peu moins depuis. Et toutes les fois où c'est passé si près… Moi, en juin 1992, la tête ailleurs, de retour de la conciliation avec Fanfan. Sous l'orage, je me suis envolé. Très haut, quatre ou cinq mètres, avec le talus en trampoline à cent soixante à l'heure. Je suis retombé sur le toit. Par miracle, non pas sur la route, où j'aurais été broyé, mais dans le creux du fossé. Le premier automobiliste qui s'est arrêté, m'a relevé dégoulinant de sang, et quand il a aperçu mon visage, s'est écrié :

— Oh, ben, ça alors… Patrick Sébastien… C'est dommage, j'ai pas mon appareil photo !

À en pleurer de rire !

Et puis le 19 mai 1993.

À en pleurer de rage, de peine, de désespoir, de dégoût !

Olivier, mon essentiel, encastré sous un camion. Désincarcéré au bout de deux heures. L'horreur absolue. Un deuxième coup de fusil au cœur en l'espace de trois ans après la mort du petit. Il était le garde-fou de tout moi, de mes biens, de mes humeurs, mes humours. Sans garde, donc, je suis devenu un peu plus fou. Les mots pour expliquer le vide qu'il a laissé n'existent dans aucun dictionnaire… *No comment !*

Maman aussi a explosé contre un camion, il y a trois ans. Elle montait assister au *Plus grand cabaret du monde*. Blessée seulement. Mais comme elle sortait tout juste d'une opération délicate qui lui avait installé une dérivation au foie, le choc a certainement accéléré le délabrement d'aujourd'hui. Ma sœur, qui conduisait, en sera toujours traumatisée. Elle a tort. Elle n'est responsable de rien.

Cette putain de « 20 » est une prédatrice. Je l'ai toujours considérée comme une hydre. Choisissant ses victimes au gré de ses humeurs, de ses besoins. Superstition mythologique ? Pourquoi pas ? Il n'y a aucune raison pour que les maléfices ne se nichent que dans les pierres des vieux châteaux. L'asphalte est un nouveau terrain de prédilection bien pratique pour les diables. Ceux qui volent les enfants au sortir des boîtes de nuit, qui assassinent les comiques en moto, qui désintègrent même les princesses sous les ponts. La « 20 » fait son boulot, comme les autres. Peut-être m'attend-elle au tournant ? Tant pis, je continuerai à la défier. Surtout qu'elle n'a pas été que maléfique, elle a aussi été magique et douce.

Elle a été le lien irremplaçable entre les faux-semblants et la vraie vie. Chaque fois que je la prends pour descendre de Paris à Martel, mon cœur s'apaise aux premiers virages après le pont de Sèvres. J'exècre l'avion qui détruit la réalité des distances. J'ai un besoin réel de tout ce chemin pour me sentir vraiment loin. J'ai besoin qu'il dure. Et il dure juste ce qu'il faut. Six cents kilomètres seraient trop, deux cents, pas assez ! Et quel bonheur, au bout de ces nuits de glisse et de glissières de me faufiler enfin dans les derniers lacets qui mènent à Esclauzars, en frôlant au plus près les branches de mes chênes.

Aussi irréel que cela puisse paraître, c'est aussi une histoire d'amour. Un pèlerinage à chaque fois. Mon Compostelle à moi. Avec des croix imaginaires plantées çà et là. Et des étoiles aussi. Des recoins sur le bord où je me suis arrêté pour faire l'amour. Des passages bien déterminés où l'inspiration a jailli d'un coup. Et un superbe souvenir de Maman, juste avant Limoges. Un extrait de film en noir et blanc, auquel je repense chaque fois que je revois *Gas-oil*, avec Gabin (encore lui).

J'avais entre six et sept ans. Maman était serveuse dans un relais routier. L'histoire est tellement belle que tu pourrais la croire scénarisée par un Autan Lara, un Carné, un de La Patellière. Elle était en friche dans ma mémoire, je l'ai restaurée en prenant bien soin de ne pas y effacer les émerveillements bien légitimes de mon regard d'enfant.

Maman servait donc dans ce « routier ». Fraîche et belle. Elle m'avait sorti quelques jours de chez ma grand-mère à l'occasion des vacances de Pâques, pour profiter de moi. Je passais le plus clair de mon temps à attendre la fin de son travail en jouant dans l'arrière-cour avec les gosses des propriétaires. Ils n'étaient pas très gentils avec moi (bâtardise oblige), mais Maman n'était pas loin, c'était le principal.

Cet après-midi-là, le patron l'avait autorisée, un peu à contrecœur, à me garder dans la salle, pendant qu'elle passait la serpillière et nettoyait les verres. Un cahier quadrillé et une superbe boîte de crayons de couleurs me tenaient lieu de console de jeux. C'était les bonheurs d'avant, plus poétiques et moins onéreux.

À quinze heures, il y avait encore deux routiers attablés, et un autre, immense, appuyé au bar. Il m'impressionnait physiquement : deux mètres et au moins cent vingt kilos. Mais la manière dont il tournait délicatement la cuillère dans son café me rassurait. J'avais un pressentiment de gentillesse et les quelques regards qu'il avait posés sur moi plein de tendresse me faisaient penser à mon Nounours. Même la petite moustache noire au ras de la lèvre n'arrivait pas à le rendre antipathique. Ce n'était pas le cas des deux autres assis à la table. Ils riaient fort, un peu saouls.

Au moment où Maman leur a apporté le troisième pousse-café, le plus maigre des deux, dégarni, en « marcel » blanc sale et mégot au bec, a d'abord posé la main sur ses fesses. Elle l'a repoussé avec un sourire, mais fermement. Il a éclaté de rire, murmuré des mots que je n'ai pas compris, et a remis sa main, mais là, carrément sous la robe. La gifle est partie aussitôt. Et l'esclandre derrière :

— Ça va pas, non ! s'est écrié le « dégarni ». Mais pour qui tu te prends toi ?

Maman était hors d'elle. Elle criait :

— Espèce d'ordure, si tu reposes tes sales pattes, je t'éclate ça sur la gueule !

Le patron a bondi pour lui retirer la bouteille qu'elle brandissait. Il a lancé avec autorité :

— Arrête ça tout de suite… Ça va pas de vouloir frapper les clients !

— Il a voulu me passer la main au cul, s'est justifiée Maman. Et sous la robe en plus !

Le patron s'est énervé.

— Écoute ma petite, c'est les risques du métier, c'est pas la première fois, ça sera pas la dernière.

La réponse de Maman a jailli en même temps que ses larmes :

— Peut-être… Mais pas devant mon fils !

Le ton du patron est monté d'un cran, il a empoigné Maman par le bras violemment :

— Écoute ma belle, d'abord il n'a pas à être là, c'est pas une garderie, c'est un bistrot. Alors vous allez dégager toi et lui, parce que je secoue un arbre, et des comme toi, il en tombe dix !

C'est à ce moment-là que j'ai jeté de toutes mes forces la boîte de crayons de couleurs en direction de la table, en hurlant :

— Faut pas toucher à ma mère !

Le « dégarni » s'est retourné vers moi en éclatant de rire :

— Eh, ben, il a du caractère le moustique ! C'est bien le fils à sa m…

Il n'a pas eu le temps de dire « mère ». Une grosse patte s'est abattue sur lui. Le « Nounours » du bar. Il l'a décollé de terre et, en le reposant, lui a mis deux énormes claques synchronisées des deux mains. Un étau qui a fait un bruit de noix qu'on casse. Et puis, il l'a traîné dehors sous le regard abasourdi de l'autre routier et du patron tétanisés par la démonstration de force.

Je n'ai pas vu la suite. On a entendu un grand bruit dehors et « Nounours » est revenu seul. Il s'est dirigé vers Maman, et j'ai enfin entendu sa voix. Une voix de « nounours », douce et chaude.

— Va chercher tes affaires . Je t'emmène, toi et ton petit.

Une heure plus tard, j'étais assis entre les deux sièges avant d'un énorme camion rempli à ras bord de bananes. qu'il fallait livrer au Havre avant trois jours. On roulait à guère plus de cinquante à l'heure. « Nounours » riait, Maman riait, et je passais les vitesses. J'ai demandé à « Nounours » :

— Tu lui as fait quoi, au type dehors ?

Il a souri ·

— Tu veux vraiment savoir ?

— Ouais !

— Il t'avait traité de moustique, non ?

— Ouais.

— Alors je lui ai expliqué qu'un moustique c'était pas ça. Je l'ai soulevé à bout de bras et je l'ai écrasé sur le pare-brise de son camion… Comme un vrai moustique !

Et on a continué à rire… La route défilait, et je remplissais ma tête de tous ces paysages nouveaux, de ces champs à perte de vue, de ces rivières si larges. C'était la première fois de ma vie que je voyageais aussi loin. D'où je venais, Châteauroux, c'était déjà la Chine ! Alors, imagine quand on a passé le pont de Tancarville comme mes yeux se sont écarquillés !

Je sais que Maman et « Nounours » se sont aimés long-temps. Jusqu'à ce qu'elle épouse Camille. Grâce à ce routier plus que « sympa », j'ai vu la mer pour la première fois de ma vie, à Dieppe. J'ai aussi compris qu'il faisait très chaud quand on dort dans un camion. Moi, la nuit, je dormais en travers sur le siège, devant. Maman et « Nounours » étaient au-dessus, dans la couchette, le rideau fermé. Eh bien, ils n'arrêtaient pas de souffler, de soupirer, de se retourner sans arrêt et ça grinçait fort. Ah, ben dis donc, qu'est-ce qu'il devait faire chaud, là-haut ! Moi, en bas ça allait. C'est sûrement pour ça qu'ils m'avaient mis là !

Mais non, je plaisante. Je savais bien, même à sept ans, qu'ils faisaient l'amour. Mais je n'en avais jamais été aussi près. Et ça me faisait rire, mais rire ! À en pleurer, vraiment. De joie. Je mordais la couverture pour qu'ils ne m'entendent pas.

Cette nuit je vais peut-être encore mordre les draps. Et pleurer aussi peut-être. Beaucoup moins que d'habitude, mais peut-être un peu quand même. Mais pas de rire.

Non, pas de rire.

## PARIS.
### Nuit du 12 au 13 novembre 2008.

Stationnaires. En attente. Trois bombes suspendues. Petit Louis en chambre stérile. René Coll toujours en coma artificiel. Et Maman qui m'a balbutié, il y a quelques instants un : « À tout à l'heure, mon petit », pratiquement inaudible. Encore une journée de funambule. Mais, cette fois, avec un balancier qui me sécurise totalement. Je te l'avais confié avant-hier, aujourd'hui je peux te le confirmer : désormais je suis un roc. L'attente du possible dans les deux premiers cas et de l'inéluctable dans celui de Maman, ne me fissure absolument plus comme il y a quelques jours

La « 20 » m'a ramené sur Paris, tard, hier soir. Je n'ai pas éprouvé le besoin d'écrire. J'ai appelé Maman en arrivant sur les quais de Seine. Et puis j'ai consumé le reste de la nuit dans du travail de routine. Ce soir, j'ai eu quand même envie de retrouver mon clavier ami après une journée d'interviews télé et de radio shows. Une journée de parade, signant çà et là des autographes, construisant mes émissions à venir, presque comme si de rien n'était.

— Tu as passé une bonne semaine ? m'a demandé un collaborateur attentif.

— Oui, super ! Je me suis vraiment détendu.

— Et ta maman ?

— Ça va.

Je ne vais quand même pas gémir. Repasser le film de mes désespoirs et de mes craintes. De toute façon dans ces cas-là, la plupart des questions sont des inquiétudes de politesse. De la solidarité machinale. Celui qui te demande où en sont tes soucis, n'a généralement pas envie que tu les lui égraines. Ce n'est pas la réponse qui compte pour lui, c'est la question. Montrer qu'il s'intéresse. Oh, ce n'est pas un péché bien grave, juste un code de vie en société. Que les nouvelles soient bonnes ou mauvaises, cela n'embellira ni n'altérera le reste de sa journée. Alors autant dire « ça va ». C'est bref, ça coupe court à tout entretien inutile, et ça permet de passer plus vite à autre chose.

Ainsi donc, Maman ne partira pas le 12 novembre, jour de mon anniversaire. Je suis bien né le 14, mais l'accouchement a été retardé pour cause de morale catholique, comme je te l'ai déjà confié. Donc, pour moi, ma date de naissance est toujours restée le jour où j'aurais dû naître, le 12, si les bonnes sœurs n'avaient pas ajouté deux jours de souffrance supplémentaires et inutiles en guise de pénitence.

Maman m'a raconté que dès le 12 à midi, elle se tordait de douleur. Elle suppliait :

— J'ai très mal, aidez-moi à accoucher le plus vite possible.

— Ce n'est pas à nous de décider, c'est à Dieu ! a lâché d'un ton ferme la plus vieille des deux femmes. Je suppose que le diable t'a donné tout le plaisir qu'il fallait. Au moment où tu te vautrais dans la luxure, tu ne lui as certainement pas demandé que ce soit plus court. Alors tu attendras, ma fille !

— Je ne suis pas votre fille, a répondu Maman sèchement.

— Tu as tort de faire la maligne, a répliqué la sœur avec un sourire sec. Si ça ne te plaît pas ici, tu es libre d'aller l'éjecter ailleurs, ton bâtard !

Maman a murmuré, résignée :

— Excusez-moi. Je ne voulais pas vous blesser. Je sais que j'ai fait une faute… Mais s'il vous plaît, donnez-moi au moins quelque chose pour avoir moins mal. Dieu vous a choisie pour faire le bien, non ?

La sœur s'est cabrée.

— De quel droit c'est toi qui vas me dire ce qui est bien et ce qui est mal ? Faire des enfants sans être marié, ça, c'est le mal ! Et le père, il est où, hein ? Envolé ? Il s'est bien amusé lui aussi. Alors s'il veut me remplacer, il n'a qu'à venir te chercher.

La jeune sœur qui n'avait rien dit jusque-là a osé proposer d'une voix douce :

— On peut peut-être lui donner quelque chose pour la calmer un peu.

Maman m'a raconté que la vieille l'a fusillée du regard. D'un doigt autoritaire, elle lui a montré la porte. Sans un mot. Et la jeune a tourné les talons, tête basse et mains jointes. La vieille s'est alors penchée sur Maman, lui a remonté le drap, comme si c'était la seule protection qu'elle pouvait s'autoriser et elle a dit, d'une voix soudainement redevenue douce :

— C'est pour ton bien ma petite. Pour que ça te serve de leçon. Pour que tu ne recommences plus. Tu sais, ce petit, à cause de ton inconscience, il n'aura pas la vie facile. Contrairement à ce que tu crois, je ne suis pas là pour te faire du mal. Le mal, tu te l'es déjà fait en ne respectant pas la droiture que Dieu t'avait commandée. Si Dieu a dit qu'il ne fallait pas procréer comme tu l'as fait, c'est qu'il sait d'avance les tourments que ta débauche va engendrer chez ton petit. Dieu ne se trompe jamais. Et quand il recueille les brebis égarées, il doit tout faire pour qu'elles ne repartent pas se jeter dans la gueule du loup. C'est pour ça que tu dois souffrir, pour faire pénitence par avance de tout ce que va subir cet enfant que tu n'as pas désiré.

Tout bien réfléchi, ça se tenait. C'était de la compassion. Aveugle, mais de la compassion quand même. Si on croit en Dieu. Ce qui était le cas de Maman, qui a accepté le supplice jusqu'au bout sans plus jamais se plaindre. C'est juste moi, avec mon agnosticisme et mon aversion pour tout fanatisme, qui juge ces agissements ignobles.

Donc (ainsi sois-je !), ma date officielle de naissance est le 14 novembre 1953. Comme Dominique de Villepin. C'est te dire le peu de crédibilité que j'accorde aux horoscopes et aux voyants de toute espèce. Parce que je peux t'affirmer que chaque fois que notre ex-Premier ministre en prenait plein la gueule, et Dieu sait s'il en a pris, je n'ai en aucune circonstance constaté que ma courbe d'emmerdements était calquée sur la sienne !

Je ne crois donc absolument pas à des avenirs préécrits et concomitants selon la date de notre arrivée sur terre. C'est de « l'attrape-gogo ». Une bien belle invention commerciale cependant, qui engraisse depuis des lunes (qu'elles soient en Mercure ou en Pluton) toutes les pythies de pacotille. Pour te convaincre que ma défiance est fondée, amuse-toi juste à lire les prévisions d'un signe qui n'est pas le tien. Tu t'apercevras qu'il peut te convenir parfaitement. C'est élémentaire, mais bon, si ça te distrait, tu peux toujours y croire !

Autant je dénie tout pouvoir de prédiction aux dates, autant je suis bien plus circonspect quand leurs croisements créent des concordances étonnantes. À ce propos, je vais, parce que ce soir le « stationnaire » m'en laisse un peu le temps, m'attarder sur le phénomène des « synchronicités » dont je t'ai déjà parlé. Ma vie en est remplie dans une proportion étonnante. Ne crois pas que j'écris pour écrire, que je suis hors sujet. Les derniers mots de ma démonstration te prouveront que Maman est bien concernée par tout ce que je vais te révéler… Hélas !

273

On peut appeler ça de la superstition, moi je dis de la prudence. Il m'est souvent arrivé de fuir une couleur, la mémoire d'un être disparu, une date parce que je les pensais maléfiques. Cela fait sourire beaucoup de mes proches. Pas sûr qu'après ce que je vais t'exposer tu n'aies que le sourire.

Les dates d'abord.

Tu te souviens des coups sur la tête, le 14 Juillet de mon enfance ? Depuis, chaque 14 Juillet m'a apporté son lot de contrariétés. Tous les ans, avec une régularité jamais démentie. Des chutes, des maladies, des mauvaises nouvelles qui n'arrivaient ni le 13 ni le 16, mais dans la journée du 14, ou la nuit du 14 au 15.

J'ai même eu un accident de voiture exceptionnel, le 14 Juillet 1972. Exceptionnel ne veut pas dire grave. À peine un peu de tôle froissée et même pas une égratignure. Seulement voilà, la dame qui m'avait refusé la priorité et m'avait percuté à deux heures du matin au coin d'un carrefour désert et pas éclairé, n'avait pas plus intérêt que moi à s'attarder sur les lieux. Elle sortait de chez un ami où elle n'aurait pas dû être, et moi de chez une maîtresse mariée à un flic de la ville. L'un et l'autre étions sur le point de filer pour éviter le constat. Mais après nous être identifiés à travers nos pare-brise couverts de moustiques, nous sommes descendus. Nous nous sommes tombés dans les bras et notre éclat de rire a dû résonner dans tout le quartier. Qui veux-tu que ce fût, cette dame ? Maman, évidemment ! De mes contrariétés du 14 Juillet, ça a été la plus agréable.

Le 14 Juillet 1990, au réveil, j'avais une angine. Le médecin de Montpellier, où passait ma tournée d'été, était venu me prescrire les soins nécessaires. Je me souviens très bien lui avoir dit :

— De toute façon, j'ai toujours une merde le 14 Juillet. Une angine, c'est pas bien grave. Mais comme je chante demain, mettez-moi la dose.

— Il vaut mieux y aller doucement, m'a-t-il conseillé. Si ça ne va pas mieux cette nuit, n'hésitez pas à m'appeler, je suis de garde, on fera des corticoïdes.

Je l'ai rappelé à sept heures, le matin du 15.

— Vous pouvez venir ?

— Bien sûr. À votre voix, je sens que ça s'est pas arrangé.

— L'angine, si. Elle a même disparu d'un coup quand j'ai appris la mort de mon fils, il y a une heure. Je crois que je vais avoir besoin d'antidépresseurs.

Hasard des dates, soit. Coïncidence terrible, soit. Je n'analyse pas, je constate, c'est tout.

Autre date, autre synchronicité encore plus troublante. Autre accident de moto. Coluche s'est tué le 19 juin 1986. Fanfan, ma future femme habitait chez lui, rue Gazan, en tout bien tout honneur. Pendant qu'il préparait son prochain spectacle sur la Côte d'Azur, elle gardait la maison de Paris. C'est moi qui lui ai appris la mort du « gros ». À ce moment-là, nous étions seulement amis, Fanfan et moi. Le soir où le cercueil a été rapatrié sur Paris, nous avons passé

275

trois heures au téléphone et notre relation amoureuse est partie de là. Nous nous sommes mis ensemble deux mois plus tard. Comme je te l'ai confié précédemment, nous avons fait un enfant après un nombre incalculable de tentatives vaines. Benjamin est né le 19 juin 1991, cinq ans jour pour jour après la mort de Coluche dans le même genre d'accident qui le priverait pour toujours de son frère aîné.

Cette synchronicité-là, je l'avais racontée dans un livre précédent. Comme la malédiction de « Piaf ». Cette malédiction, je vais la résumer une fois de plus, d'abord pour l'apprendre à ceux qui ne la connaîtraient pas, et ensuite parce qu'un élément récent prouve qu'elle est plus que jamais présente. Dans ce cas-là, ce n'est pas une question de date... Enfin, pas seulement !

Ça a commencé bêtement. J'ai toujours adoré Edith Piaf. Elle me touche aux tripes, comme beaucoup. En fait, sa voix n'est pas exceptionnelle, elle a juste quelque chose de mystérieusement troublant. Une dimension dramatique qui ne laisse personne indifférent. J'écoutais ses cassettes en voiture et un jour de longue distance, je me suis fait prendre par quatre radars dans la journée. Détail insignifiant. Deux jours plus tard, en rentrant d'un spectacle en pleine nuit, je l'écoutais encore. Un peu lassé, j'ai arrêté la cassette et suis tombé sur la radio qui diffusait pile à ce moment-là... du Piaf. *L'Accordéoniste*. Et à cet instant précis j'ai eu un terrible accident. Une voiture folle est venue me percuter à cent à l'heure par l'arrière, alors que j'étais à l'arrêt à un feu.

Après deux semaines d'hôpital, j'ai repris la route. Au moment d'enclencher une cassette de Piaf, j'ai eu une appréhension. J'ai repensé aux radars, à l'accident.

— Et si Piaf me portait malheur ? me suis-je dit.

J'ai ouvert la vitre et j'ai jeté la cassette par la fenêtre. Au bout de quelques kilomètres, je me suis insulté :

— Qu'est-ce que tu peux être con, mon pauvre garçon ! C'est quand même pas une chanteuse, même morte, qui peut te porter la poisse. Ça, c'est des trucs de roman de science-fiction !

Je me suis donc arrêté à la première station-service pour acheter une nouvelle cassette de Piaf. Deux cents mètres après avoir redémarré, mes deux pneus avant ont explosé !

Là, j'ai commencé à me poser de sérieuses questions.

Quelques jours plus tard, au hasard d'une émission de radio, j'ai raconté ma mésaventure en riant de ma superstition. Le standard de la station reçut ce jour-là une dizaine d'appels de gens ayant constaté le même phénomène. Alors j'ai cherché. Et j'ai trouvé des tas de preuves confirmant ce que je me suis mis à considérer comme une véritable malédiction. Beaucoup d'hommes qui ont traversé la vie de Piaf ont péri dans des circonstances accidentelles ou dramatiques, Cerdan, Sarapo, son dernier mari, entre autres. Patrick Dewaere s'est suicidé pendant le tournage de *Edith et Marcel*. Et puis Jacques Martin m'a confié qu'au Théâtre de l'Empire, où elle avait beaucoup chanté, chaque fois qu'une chanteuse essayait d'interpréter du Piaf, un accident inattendu se produisait : elle se cassait une jambe, un projecteur tombait, etc.

Jean-Claude Brialy, non plus, n'a pas été plus surpris que ça quand je lui ai parlé de ma superstition. Il avait la même. À cause d'une robe que Piaf lui avait offerte. Par deux fois, il avait voulu la sortir de l'armoire où il la conservait. Par deux fois, au moment précis où il montait l'escalier pour aller la chercher, le téléphone avait sonné pour lui apprendre un décès.

J'ai eu après ces confirmations-là, des dizaines de signes étayant cette superstition. Au point que quand Piaf chantait à la radio, je coupais. Au point que dans mes émissions, toute allusion à elle était interdite. J'ai quand même tenté de vaincre le signe indien, allant jusqu'à l'imiter moi-même sur scène. Je me raisonnais :

– Allons Patrick, tout ça c'est des bêtises ! Essaie, juste une fois pour voir.

Chaque fois il y a eu des accidents plus ou moins importants. Alors j'ai renoncé. Mais l'accident est arrivé quand même. À mon insu : ce fut celui de mon fils.

On n'avait trouvé, près de sa moto, qu'un corps déchiqueté sans papiers sur lui. Quand les gendarmes m'ont appelé pour venir identifier le corps, je n'en ai pas eu la force, je te l'ai déjà confié. Dans la cabine téléphonique de l'hôtel de Montpellier, j'ai demandé effondré :

– Décrivez-le-moi… Je vais vous dire si ça peut être lui.

Et le gendarme m'a dit ces mots à jamais gravés dans ma mémoire :

— C'est un garçon d'un mètre quatre-vingts environ. Châtain clair. Il porte un jeans. Des bottes de moto et un blouson de cuir noir avec un aigle sur le dos…

Comme dans la chanson de Piaf.

Depuis ce moment-là, je me suis interdit tout contact avec Piaf. Ça a duré dix-sept ans, sans que je tente le diable. Et puis l'année dernière, le succès du film sur sa vie m'a interpellé. Un triomphe indiscutable. Un Oscar pour Marion Cotillard. Pas un seul drame connu autour de cette aventure magnifique. Le contraire, plutôt.

C'est peut-être idiot, mais je me suis dit : « Il y a sans doute prescription, la malédiction est éteinte. » J'ai quand même attendu la sortie du DVD pour voir le film. Je l'ai regardé avec une légère appréhension. Tout s'est bien passé et aucune mauvaise nouvelle, aucune contrariété ne sont apparues dans les jours suivant ce visionnage.

Voilà ! Tout était rentré dans l'ordre.

Je me suis même surpris, les jours suivants à réécouter du Piaf, pour le plaisir.

Il y a quelques semaines, j'ai même décidé de l'évoquer à nouveau dans mes émissions.

Christelle Cholet est une artiste exceptionnelle qui ne comprenait pas pourquoi je refusais de la prendre dans mes émissions. Son spectacle s'appelle *L'empiaffée*. Des sketches fabuleux détournant les chansons d'Edith. J'avais exposé, il y a quelques mois, à son agent mes réticences qui n'avaient rien d'artistique.

Il m'avait dit :

– Je comprends, je vais expliquer à Christelle. Mais jette quand même un coup d'œil à la cassette du spectacle, tu vas voir c'est extraordinaire !

Il y a peu de temps, je me suis décidé à regarder enfin ces images. Il avait raison, c'est extraordinaire. Au point qu'à peine le visionnage fini, j'ai sauté sur mon téléphone :

– Cette gamine est géniale. Tu vas être content. Je viens de décider à l'instant de la prendre dans la prochaine émission. J'espère qu'elle sera contente.

– Folle de joie, tu veux dire !

C'était le jeudi 9 octobre à quinze heures.

À dix-neuf heures le professeur de Toulouse m'apprenait que, sans l'ombre d'un espoir, Maman n'avait plus aucune chance de s'en sortir !


Mon Dieu, mon Dieu, mon Dieu…

Laissez-la-moi encore un peu..

*PARIS.*
*Nuit du 13 au 14 novembre 2008.*

Le Club athlétique Brive Corrèze Limousin est premier de la poule de ligue 1 du championnat de France de rugby.

Le directeur photo, Sébastien Boutot, a été choisi pour éclairer son père, Patrick Sébastien dans un film sur la vie de Raymond Forteau, le grand poète disparu.

Un an après l'entrée en vigueur de la loi obligeant les sociétés cotées en bourse à distribuer un dix millième de leurs bénéfices aux plus miséreux, la France ne compte plus à ce jour aucun SDF.

Joe Dassin a fêté, hier, ses quarante ans de carrière dans un Stade de France bourré à craquer.

Le producteur du film racontant la vie de Jacques Mesrine a été enlevé par Jacques Mesrine lui-même. Le montant de la rançon sera communique ultérieurement.

L'écrivain Frédéric Dard fera lundi son entrée sous la coupole.

Depuis la mise sur le marché du remède universel, cent quarante hôpitaux viennent encore de fermer leurs portes. Des milliers de docteurs et de pharmaciens manifestaient ce matin dans les rues de Paris aux cris de : « Le cancer c'est super, la leucémie aussi ! »

Demain, le temps sera beau sur la majeure partie de la France. . Excepté sur le quai de la gare de Limoges.

Madame Andrée Boutot prendra officiellement, dans un peu plus d'un mois, le jour de Noël, ses fonctions de ministre des affaires familiales.

Que de cadeaux !... Bon anniversaire, Patrick !

## MARTEL.
### Nuit du 15 au 16 novembre 2008.

Le va-et-vient continue. Le va et « 20 », par la nationale. Je suis arrivé de Paris très tard dans la nuit d'hier. Je repartirai demain. Maman ne va ni mieux ni moins bien. Immobile, blanche. Bougie. Elle se consume sans flamme. Sans que cela se voie à l'œil nu. Ce qui m'a le plus frappé en entrant dans sa chambre est la similitude parfaite avec la photo du départ, mardi soir. La même position, les mains posées au même endroit, la tête tournée exactement dans le même angle. Comme si la parenthèse de trois jours n'avait duré que quelques minutes. Comme si elle était en répétition générale d'immobilité définitive.

Je lui ai raconté mes journées à Paris. Pour meubler. Pour ne pas parler d'elle. Mes émissions de radio, mes rencontres, mon après-midi passé avec Carole Bouquet. En d'autres temps elle m'aurait assommé de questions : « Elle est comment ?... Est-ce qu'elle fait son âge ?... Tu lui as dit que je l'aimais beaucoup ? »... Là, rien... Je me demande même si elle a compris de qui je lui parlais. Quand je me suis levé pour partir, elle n'avait toujours pas bougé d'un millimètre.

Au moment de quitter la chambre, une pensée toute bête s'est imprimée dans ma tête. Tu sais, cette petite chose obsessionnelle et inavouable qui te traverse l'esprit au moment le plus inopportun. En l'occurrence, l'image de l'avertissement de convenance que l'on placarde sur les portes de toilettes : « En sortant, vous êtes priés de laisser l'endroit dans l'état dans lequel vous aimeriez le trouver en entrant. » Stupide, inapproprié, mais impossible à chasser. Toi aussi, tu as bien dû l'avoir, cette gêne intime dans des circonstances dramatiques. Cette petite chanson obsédante, cette phrase déplacée, cette image décalée que ton cerveau t'envoie comme pour te distraire le chagrin. Incongru, soit, mais c'est vrai que depuis un mois, à chaque départ, je crains tellement de la trouver bien plus absente en entrant que je l'avais laissée en sortant. J'en ai souri. C'est déjà ça !

Et puis je suis allé ne pas dormir, comme d'habitude. Même si une force nouvelle me porte, il m'est impossible de mettre un cache à ma mémoire. Elle m'assaille en permanence pour appuyer où ça fait mal. À chaque coucher, lorsque, vers sept heures, la fatigue commence à m'assommer, j'en suis presque à souhaiter qu'il n'y ait pas de réveil. Encore une fois, ce matin (enfin, vers midi) il y en a eu un. Pénible, l'angoisse arrivant en douce à peine les yeux ouverts. Mais bon, puisque j'étais réveillé, autant sourire ! Depuis quelques jours, je me souris tous les matins devant la glace. À tout hasard. Au cas où aucune autre occasion de le faire ne se présenterait dans la journée !

J'ai eu la chance. cette fois, d'avoir bien plus qu'un simple sourire. Tout aujourd'hui, j'ai encore balancé d'un extrême à l'autre. Mon lot quotidien désormais. Du bruit, de la fureur, du monde, des couleurs, de l'extraordinaire et de grosses colères. Et puis le silence, la solitude, la peine profonde, le doute, l'ordinaire, là, à l'instant assis à mon clavier dans la pénombre.

Question : il était où alors, le sourire ?

Réponse : sur un stade.

Mon équipe de Brive a gagné cet après-midi un match capital contre Clermont. J'y étais. Le président que je suis a vibré, tremblé, et finalement explosé de plaisir au coup de sifflet final. Les quinze mille spectateurs étaient au nirvana. Les flashes crépitaient, les micros se tendaient. Avant le match j'avais reçu des témoignages de sympathie qui m'ont mis les larmes aux yeux. Un clip diffusé sur le grand écran du stade où toutes les petites fourmis qui travaillent au club, le staff, les joueurs me souhaitaient un joyeux anniversaire. Je ne suis donc pas si seul ? On m'aime encore un peu ? C'est probable, et même si ça ne m'a guéri de rien, ça m'a réconforté. Des bons soins palliatifs, à égalité avec Maman !

Donc, pour résumer, une bien belle journée !

Alors, pourquoi des grosses colères ?

Je n'en ai eu que deux. Mais fortes. Rentrées mais explosives. À m'en tétaniser les mâchoires de rage. L'une, en regardant à la télé ce soir, la diffusion de cette émission dont je t'avais signalé le tournage, il y a quelques semaines : *Le plus grand cabaret du monde*, dont les invités étaient des sportifs handicapés médaillés aux Jeux de Pékin. J'étais toujours aussi fier d'avoir osé ces invitations à contre-courant de l'indifférence ambiante, mais j'avais un goût amer à la bouche. Depuis quinze jours, les attachés de presse ont sollicité les journaux quotidiens, hebdomadaires, pour qu'ils donnent un écho à ce qui me semblait être un acte civil important. Ils ont tous refusé, sauf un, les chiens ! Pas une ligne. Rien. Je suis en colère et j'ai honte. Honte de ce que cette société des médias devient. Honte d'en être un des maillons faibles. Honte pour eux. Honte pour ce que Maman m'a toujours enseigné avec optimisme : la loyauté, la compassion.

C'est peut-être pas plus mal que tu partes maintenant, Maman, ça t'évitera de voir ton utopie exploser en vol !

Mon autre colère a commencé dès le réveil, elle me tenaille encore. Elle s'est emparée de moi dès la lecture sur mon portable de plusieurs SMS de condoléances attristées pour le décès de René Coll. Ces messages de soutien auraient certes pu être très réconfortants, à la nuance près, que par bonheur, mon René est toujours vivant ! Dans un état critique soit, mais absolument vivant. Et même en phase d'amélioration. La sale rumeur a envahi les rues de Carcassonne et des environs. Reprise immédiatement par les nouveaux moyens de communication, Internet et téléphonie mobile, elle est même remontée jusqu'à Paris d'où je continue de recevoir, de la part des professionnels émus, des témoignages de sympathie.

C'est donc ça la société de progrès ? Des fausses nouvelles où le scabreux le dispute au morbide que l'on répand sans contrôle ni état d'âme. Des gratte-papier sans conscience laissant moins de place dans leurs pages aux blessés de la vie qu'aux chiens écrasés ? Je suis en colère, oui. Et je l'écris.

Machinalement. En sachant très bien que ça n'y changera rien et que ça ne me soulagera même pas.

Je commence à m'inquiéter un peu pour moi. Pour ma santé. Si le moral s'est blindé comme tu le sais, le corps commence à plier. Cent douleurs çà et là. À force de serrer les dents, de supporter la charge émotionnelle, de lutter pour rester debout. Chaque contrariété me gifle. Je ne prends aucun médicament. Ni calmant, ni stimulant. Ma pharmacie est interne. Mais je la pressens en rupture de stock dans les jours qui viennent. On verra bien ! De toute façon, je n'ai pas le choix.

De lundi à mercredi, pour l'enregistrement avec les gitans, il faudra que je sois aux avant-postes, en capitaine, quelles que soient les multiples douleurs que mon corps m'imposera. La particularité de mes émissions est que, sans moi, rien ne peut se faire. J'en suis le concepteur, le décideur, le metteur en scène et l'animateur. C'est à chaque fois un immense Barnum où le seul qui ne peut pas se permettre un renoncement, même passager, c'est moi. Je suis un Mohican dans ce métier où dans tous les cas les responsabilités sont partagées. Chez nous, j'ai imposé cette devise : « Si ça marche, c'est grâce à tout le monde, si ça ne marche pas c'est de ma faute ». Un héritage de Maman encore. Elle est donc partout, même dans ma télé.

Et s'il n'y avait que ça !

Je t'ai déjà confié comment elle a été à l'origine, par *Piste aux étoiles* interposée, du *Plus grand cabaret du monde*. En fait elle a été l'instigatrice la plupart du temps, involontaire, de tout ce que j'ai créé pour le petit écran.

Il est évident que les marques de fabriques récurrentes de chacun de mes spectacles cathodiques, la gaieté, la fête, sont le prolongement des années Turenne. Mais dans le détail, ça va bien au-delà.

Maman, au début des années quatre-vingt, lorsqu'elle montait à Paris, passait le plus clair de ses nuits avec la faune extravertie. Elle a conquis, par je ne sais quel sortilège, Michou, le patron du plus célèbre cabaret de trans-formistes de la capitale. Au début, moi, l'hétéro farouche, je trouvais ça singulier, presque choquant. Maman, l'amie des hommes, des vrais, se pavanant chez les folles, ça avait quelque chose de réducteur, de gênant. Qu'est-ce qu'elle pouvait bien trouver à ces Dalida aux joues mal rasées et à ces Mireille Mathieu au slip bien rempli ? Je lui en faisais des reproches aimables :

— Toi qui adores Gabin, je ne l'imagine pas une seconde fréquenter de la fiotte. Et puis, intellectuellement, qu'est-ce que ça peut t'apporter ? D'accord c'est des hommes de plumes… Mais dans le cul, ça change tout !

— Mon Dieu que tu es bête ! Eh bien, figure-toi qu'il n'y a peut-être pas tant de différence que ça entre Gabin et les « fiottes » comme tu dis. En tout cas, ceux-là, comme les voyous, comme les gitans, m'ont toujours respectée profon-dément. Ils sont bien élevés, attentifs, et tellement drôles.

On y revenait toujours : le respect. Comme si elle avait été marquée au fer rouge par l'inélégance de certains hommes. Par leur sauvagerie. Avec ce que j'ai appris la semaine dernière, ceci explique peut-être cela.

Elle a fini par me convaincre d'au moins tenter de comprendre ses amitiés buissonnières sur le terrain. J'étais déjà allé une fois ou deux dans ces cabarets interlopes au hasard de nuits bien arrosées. Je ne m'y étais attardé que pour chasser la cliente ou, en extrême recours, la vestiaire. J'avais assez aimé le côté artistique, mais, sans jeu de mots, je n'avais pas approfondi.

Aznavour avait raison. *Comme ils disent* est la peinture exacte de leurs tourments, de leur sensibilité à fleur de peau, et surtout de leur solitude. J'ai trouvé chez ces travestis-là un écho à la mienne. En quelques soirées j'ai repoussé très loin, et sans l'ombre d'un scrupule, mon intolérance ancrée par des années de rugby-machisme. Cette diffé-rence ressemblait tellement à la mienne. Les brimades, les mises à l'écart, les violences gratuites, les *a priori*, la lutte permanente contre la société bien pensante. Tout cela a fait que je me suis senti leur frère d'âme et d'armes. Et puis, dans un domaine bien plus terre à terre, n'ayons pas peur des mots : une superbe plante siliconée, perchée sur des talons interminables, je me suis brusquement aperçu que ça me faisait bander ! Paire de couilles ou pas ! Alors j'ai glissé de la reconnaissance artistique à l'amusette de passage. Encore une fois, sans aucun état d'âme, aucune retenue de convenance pour sauver la face. Non seulement j'ai assumé, mais je m'en suis vanté auprès de mes potes homophobes les plus acharnés, les plus étroits d'esprit

À chaque fois que l'un d'entre eux m'en faisait le repro-che avec dégoût, je m'amusais à détecter avec jubilation son degré réel d'indignation. Et, crois-moi, j'en ai démasqué, des menteurs ! J'en ai tant connu depuis, des « propres sur eux », des « messieurs la pudeur », des « ah non, ça, moi jamais ! »

qui ont cédé en cachette aux charmes de tous les chevaliers d'Eon du bois de Boulogne ! Et qu'ils ne viennent surtout pas me parler d'« expérience juste pour voir ». Avec l'excuse lamentable de prétendre qu'un mec ça suce mieux. C'est faux. En tout cas ça n'est pas une règle immuable. Non, il y a au moins une chose que mon expérience des sous-bois nocturnes et des boîtes équivoques m'a apprise : celui qui va voir un travesti pour avoir un plaisir neuf, c'est pour sa bite !

J'entends déjà les cris d'opprobre :

— Quel scandale ! Quelle infamie, cette mère qui initie son propre fils à une sexualité répréhensible.

D'abord, elle ne m'a initié à rien. Elle m'a juste enlevé les œillères pour que je considère ces gens-là avec mesure et sans idées reçues. Elle m'a fait connaître des êtres passionnants, blessés, attachants dans le seul but de m'expliquer pourquoi elle préférait leur compagnie délicate à celle des brutaux, des souillons. Que ma libido s'en soit accommodée n'était pas le but recherché, et je la soupçonne même d'en avoir eu une gêne, voire du chagrin. Mais elle ne m'en a pas plus jugé pour ça.

— Chacun fait ce qu'il veut avec ses fesses ! a-t-elle toujours claironné.

Il y a toujours eu un non-dit à ce propos entre nous. Ce sont des sujets de conversation que l'on n'a jamais abordés. Mais même aurais-je eu la tentation de finir carrément travesti moi-même, je suis certain qu'elle ne m'en aurait pas fait le moindre reproche. Même s'il n'y avait aucune chance que ça se présente. Chez moi, ce n'est ni une envie, ni même un fantasme. Je ne suis pas fanatique, juste sympathisant !

Mais revenons à la télé, après ce détour intime qui, j'en suis sûr, offrira aux gazettes poubelles l'occasion de s'en donner à cœur joie si ce livre est publié. Il y a d'ailleurs de fortes chances qu'ils ne le réduisent qu'à ça, les porcs ! Si tu savais comme je m'en branle. C'est même heureux. Cette masturbation me donne une occasion de me classer dans une catégorie nouvelle : les « trisexuels » !

J'ai donc passé de longues soirées, parfois avec Maman, parfois seul, assis sur le bar du minuscule cabaret de chez Michou à admirer le spectacle. Et, un soir, j'ai eu le déclic : et si je transposais ça à la télévision, mais en imposant ce transformisme à des personnalités médiatiques de tout bord ?

*Sébastien c'est fou* est né ainsi. Avec un concept de base : déguiser des stars en autres stars et faire jouer le public à reconnaître qui se cache derrière qui. Ça durera quatre ans au rythme d'une émission tous les quinze jours devant plus de dix millions de téléspectateurs à chaque fois. Merci qui ?… Merci Maman !

*Super Nana* également est venu de Maman. Même si Nana, ma femme, y a été aussi pour beaucoup. C'est d'ailleurs en référence à elle que j'ai choisi le titre. Mais la base du concept était maternelle. Il s'agissait d'élire une Miss France sur des critères qui n'avaient rien à voir avec la beauté. L'envers de l'autre. Une « super nana », c'était une ordinaire, sans clinquant, une vraie. Avec des valeurs de famille, du courage, de la personnalité. Tout bien réfléchi, c'était la première émission de cette téléréalité que je déteste tant. À la différence que je ne promettais ni l'argent ni la célébrité. Le but était de montrer que même très ordinaires, certaines femmes pouvaient être extraordinaires. Maman était évidemment plus que fière :

— C'est bien, mon petit. Ça nous venge un peu. Et puis, ça peut faire changer les choses. Bien élever ses enfants, s'assumer dans le travail, être courageuse, respectueuse de soi et des autres, pour moi c'est ça le vrai féminisme. Ça rejettera peut-être dans l'ombre celles qu'on voit trop et qui ne sont surtout pas des modèles. Les arrivistes sans conscience, prêtes à tout pour la gloire et l'argent, les superficielles qui ne pensent qu'à elles.

Désolé Maman, mais là on s'est plantés ! L'émission a marché bien sûr, mais elle n'a laissé aucune trace. Au contraire. Les « superficielles » ont pris le pouvoir. Elles ne sont pas près de le lâcher. C'est une des colères récurrentes de Maman

— Ah non, ne me parle pas de cette Loana, s'il te plaît !

— Oh, elle n'est pas méchante, tout ça c'est que de l'amusement.

— Abandonner son enfant pour faire la belle sur les plateaux c'est de l'amusement pour toi ? Quelle honte ! C'est une salope, c'est tout.

Abrupt, sans concession, c'est le jugement de Maman. Tu n'es surtout pas obligé de le partager.

C'est vrai qu'il faut s'adapter à son époque et que Maman et moi sommes d'un autre temps. La télé est passée à une vitesse supersonique de « l'école des fans » à « l'école des putes ». *L'île de la tentation, Greg le millionnaire* sont des hymnes à la « femme trou », c'est le sens des choses. C'est la marche en avant qui, au nom du seul profit des sociétés qui produisent ces programmes, bouscule tous les codes de la dignité humaine. Avec une indulgence complice de la presse qui fait de ces météorites vulgaires et impudiques des stars monnayables à souhait. C'est ainsi, et à part quelques rares vieux cons comme moi qui s'en offusquent, la majorité du peuple en redemande.

Ça me fait penser à la crise des *subprimes*. Nous sommes en train de prendre des crédits moraux sur l'avenir de nos enfants. Nous les endettons de principes en faux marbres, de fenêtres sur la vie en trompe-l'œil. Je me demande comment ils vont rembourser. On dit qu'ils commencent à payer en liquide. Les jeunes picolent de plus en plus. Les effets de cette glissade cathodique sont bien plus pervers que l'on croit. Par bonheur, Maman et moi ne serons pas là pour vivre la suite. Ma progéniture y assistera, hélas ! C'est bien pour ça que, hors l'amour infini que je leur porte, le grand regret de ma vie aura été d'avoir fait des enfants. Mais il est trop tard pour revenir en arrière. Et se lamenter ne sert à rien. Alors, enchaînons !

*Osons !* En voilà un beau cri de guerre ! En voilà un beau titre d'émission ! J'ai osé. Fallait-il ? Aurais-je dû être plus prudent ? Et tant d'autres questions après coup. Après coups, au pluriel, tant je me suis fait tabasser, massacrer. Ils m'ont laissé pour mort.

C'était en 1995, et je voulais bousculer les choses. Je sentais arriver le consensus mou. L'endormissement qui aujourd'hui, comme je le redoutais, a placé tout l'univers de la télé dans un état léthargique. J'y contribue largement d'ailleurs, mais je n'ai pas le choix. La seule alternative qui reste aux provocateurs est d'aller jouer ailleurs. La censure est totale. Ce n'était pas le cas à l'époque.

Après *Super Nana* qui inondait mes émissions de bons sentiments, j'ai eu un besoin pressant de grand bordel. De chaos. De déconne incontrôlée. Alors je suis allé puiser l'inspiration dans les années Turenne. Après Dédée « super-Maman », je suis allé chercher mes références chez Dédée « super-déglingue ». Me sont alors revenues en mémoire toutes les audaces qui égayaient nos jours et nos nuits de provocateurs malicieux. Nous avons tant fait de farces de sales gosses de 1972 à 1974. Ensemble. En opération commando.

Les tas de fumier déposés à la benne sur la voiture du percepteur. Les paquets de lessive vidés dans les fontaines de la ville qui dégueulaient des montagnes de mousse. Les lâchages de poulets de grain dans la cour du commissariat. La manipulation des panneaux indicateurs du boulevard circulaire, qui faisaient tourner pendant des heures les automobilistes en transit… Et tant et tant de tirages de sonnettes, de nudités inopportunes en pleine commémoration préfectorale, de troubles à l'ordre public, à la bourgeoisie endormie, à l'institution établie.

Un soir de 1995, j'ai dit à Maman .

- Les conneries du Turenne, je vais les faire à la télé.

Elle n'a pas sauté de joie.

— Tu es fou, mon petit. C'est pas fait pour être montré. C'était juste pour nous.

J'ai argumenté :

— Les gens ont besoin de faire péter le couvercle de la cocotte-minute. Ils n'attendent que ça. On devient trop sage. Faut exploser tout. Remettre l'insolence au goût du jour.

— Écoute, si tu le sens comme ça, fais-le. Tu ne t'es jamais trompé. Moi à ta place j'hésiterais, je sais pas pourquoi, mais j'ai un mauvais pressentiment. Brive, c'était petit. On ne risquait pas grand-chose. Même au tribunal, on n'a eu que des amendes légères. Fais bien attention à ne pas te croire plus fort que tu n'es !

Elle avait raison sur tout. Même le tribunal. Un instinct prémonitoire.

Je ne vais pas m'attarder. Je l'ai fait dans des ouvrages précédents, et cette période est si sale que ça me chagrine toujours de l'évoquer. Je veux juste te dire qu'*Osons* est de tout ce que j'ai créé mon émission préférée. On y a mis des flics en tutu, des statues qui pissaient sur les pigeons par vengeance, des chorales qui chantaient : « c'est le plus grand des voleurs », devant l'immeuble des impôts. On a mis le bordel, donc ! Et on l'a filmé. Pour le public, ce fut un triomphe : douze millions de téléspectateurs à la première. Pour les élites, ce fut une honte, une ignominie. Aucun mot n'était assez fort.

Le plus gros objet du délit fut le sketch où, déguisé en Jean-Marie Le Pen, je lui faisais chanter *Casser du Noir*. Une caricature outrée, que nous lui avions montrée, au nom du droit de réponse pour qu'il nous donne son avis. Mon audace, en l'occurrence, dépassait la farce. C'était une prise de conscience politique. Elle voulait démontrer que, premièrement, Jean-Marie Le Pen était raciste et que le caricaturer à l'extrême ne le choquait pas, mais l'amusait. Deuxièmement, le fait de lui donner un droit de réponse allait à l'envers de ce qui se faisait couramment : on l'insultait sans qu'il puisse s'exprimer. Or, j'ai toujours considéré que la démocratie, par définition, doit laisser la parole même aux extrêmes, sous peine d'en faire des victimes éternelles. Pour se préserver du risque d'exacerber les fanatiques frustrés. J'ai donc osé lui donner cette parole. Pas pour faire rire, mais en toute conscience politique.

Je me suis effectivement surestimé, comme le craignait Maman. Pour les médias, les élites, je n'étais qu'un clown et rien que ça. Donc, il était impossible que j'aie pu glisser un message d'analyse politique sérieux quel qu'il soit. Ça ne pouvait être que du premier degré, de la bêtise de base, compte tenu de mes antécédents exclusivement festifs. Raconter tous les tenants et les aboutissants de cette affaire, bien plus complexe qu'il n'y paraît, serait fastidieux et ce n'est pas ce qui nous intéresse ici. Sache juste que les chacals m'ont dézingué à la mitrailleuse, qu'ils m'ont traîné en justice en m'attribuant les propos que j'avais fait tenir à ma marionnette. Un vrai traquenard politico-élitiste. Un non-sens judiciaire qui me fera condamner à la fois pour incitation à la haine raciale et pour insultes à Le Pen. Ubuesque et profondément dégueulasse !

Ils m'ont mis en miettes. Nana est partie. Ma boîte a fermé et j'ai arrêté la télé. Rien que ça ! C'en est devenu tellement insupportable qu'encore une fois, j'ai voulu en finir avec la vie. Le pistolet sur la tempe, j'ai hésité longtemps. Mais cette fois, la douleur de perdre un enfant, je la connaissais, et je n'avais aucune excuse de l'infliger à Maman. Je lui dois donc encore la vie pour la énième fois

Encore des souvenirs brûlants ! Encore les montagnes russes !

J'ai des bleus partout, mais je survis.

Aujourd'hui, Brive a gagné. Maman ne va pas plus mal. Tout est calme, donc.

Demain, promis, dès que je serai rentré sur Paris, je continuerai à te raconter « Maman, la vie et moi ».

Juste après l'avoir appelée en arrivant.

## PARIS.
### *Nuit du 16 au 17 novembre 2008.*

Tout bien réfléchi, je ne t'écrirai qu'à peine ce soir. J'ai besoin de prendre du recul. De laisser passer plusieurs jours peut-être. Je suis un peu déboussolé. Ces mots, en attente de l'inéluctable, me semblent tout à coup trop précoces. Voire éventuellement maléfiques.

Ce soir, au repas, avant mon retour sur Paris, Maman a mangé avec nous. Souriante. Couverte d'un châle rouge vif. Elle, qui depuis des semaines ne s'habille que de blanc triste, a trôné, éclatante en bout de table. En forme. S'exprimant sans aucune lassitude. Était-ce anodin, ou voulait-elle me dire quelque chose ? Me rassurer pour les jours à venir ? Ou bien me prouver qu'elle est capable de monter à Paris pour l'émission des gitans ? Je l'en ai dissuadée, il y a deux jours, prétextant que le voyage allait l'épuiser. À ce moment-là, elle était incapable de faire trois pas. Elle a convenu, à contrecœur, que ce n'était pas raisonnable.

Ce soir, elle était parfaitement claire. Alors, que se passe-t-il au juste ? C'est quoi ce miracle ? Est-elle vraiment fiable, cette médecine qui suspend les soins curatifs en ne laissant

aucun espoir ? Maman oscille en permanence entre déla
brement et résurrection soudaine. C'est quoi, ce yo-yo ? Et
pourquoi l'accompagne-t-on vers la fin au lieu de continuer à
tenter de l'en éloigner ?

J'en arrive à faire des supputations bien plus lourdes de
sens. Et si elle avait eu bien plus à vivre qu'on nous l'a laissé
entendre ? Les hôpitaux sont surchargés, les infirmiers en
surrégime, et un malade de longue durée coûte une fortune
à la communauté. Et si c'était de l'« eugénisme » pour
vieux ? Un médecin m'a confié que ça existait dans d'autres
pays. Imaginons une société qui déciderait, à la faveur d'ac-
cords occultes avec les grands médecins, de ne conserver
en vie jusqu'au bout que ceux qui ont une chance même
infime de s'en sortir. Mais pas les inguérissables certifiés.
Inimaginable, dis-tu ? Pas si sûr ! Et s'il existait une sorte
de consensus secret au seul profit de la société des valides ?
Ce serait le plus grand complot du siècle. Dans ce cas-là,
on n'euthanasierait pas seulement. On cesserait les soins
curatifs des définitivement perdus, bien longtemps avant
l'agonie, pour précipiter la fin.

Je sais que c'est une théorie irrecevable par tout le
corps médical, et que seul, mon désarroi peut justifier que
j'ose l'avancer. Mais j'ai besoin d'y réfléchir à tête reposée. Profites-en pour, toi aussi, te poser la question qui
me taraude de plus en plus : « Pourquoi stopper les soins
curatifs d'une personne qui, bien qu'affaiblie, n'a rien
d'une agonisante ? »

## MARTEL.
### *Nuit du 20 au 21 novembre 2008.*

Trois jours sans écrire. Trois jours de « là-haut » avant d'enfin redescendre « en bas ». Trois jours sous tension. Trois jours de Patrick Sébastien, sa vie, sa télé, ses paillettes. Et puis, ce soir, une nouvelle « 20 » à travers la pluie et le brouillard. Et me voilà de nouveau planté au clavier, dans l'incomparable silence d'ici. Un vrai. Muet de tout. Absolument seul. Au plus près de moi. Ça tombe bien, je commençais à me manquer !

Pas de Maman au bout de la piste d'atterrissage ! Une heure avant de partir de mon bureau de Paris, le téléphone a sonné.

— C'est Isabelle, on part à Purpan. Les plaquettes sont tombées à dix mille. Il faut faire une transfusion d'urgence.

— Elle n'est pas trop faible ?

— Non, je te la passe.

La voix était un peu usée, mais elle m'a dit distincte-
ment :

— Ne t'inquiète pas, mon petit, ça ira mieux après.

J'ai immédiatement pris le ton le plus gai possible :

— Je ne m'inquiète pas, une vieille bagnole comme toi,
faut bien changer les plaquettes tous les dix mille !

Elle a ri de bon cœur. Et j'ai ajouté :

— Dis-leur d'en profiter pour te réparer les amortisseurs
et te faire le niveau d'huile !

Elle a encore ri. J'ai ajouté, plus sérieux :

— De toute façon, c'est ça ta maladie. Un coup ça va, un
coup c'est moins bien, mais on s'en sort toujours.

— Je commence quand même à en avoir marre.

— C'est normal, mais on a vu pire, non ?

— Tu as raison, mon petit.

— Je descends quand même à Martel.

— Tu m'appelles en arrivant ?

— Bien sûr !

J'ai appelé bien avant. Tout le long de la route. Isabelle m'a commenté l'arrivée à Toulouse, le brancard, la chambre, la mise sous perfusion. Juste avant que j'attaque le dernier petit chemin avant la propriété, elle m'a passé Maman. Cette fois, la voix était très faible, épuisée.

– Ça se passe bien la vidange ? ai-je lancé, tout sourire.

Elle a murmuré quelques mots inaudibles pour me rassurer.

Putain de rôle de composition ! Putain de film !

Le téléphone est à présent posé à côté de moi. En alerte. Alors j'écris, le cœur aux aguets. Un peu tendu. Avec la sale sensation que le goutte à goutte coule aussi dans mes veines. Allez écris Patrick, écris ! Ne laisse surtout pas l'angoisse t'envahir à nouveau. Repense à la belle soirée d'hier. Aux gitans. À la fête merveilleuse.

Après deux jours de répétitions, de réglages, de doutes, le résultat a été bien au-delà de mes espérances. Dans le décor magnifique d'un vrai camp de gitans, le frisson a été magique : les guitares, le talent et surtout le supplément d'âme. Le miracle d'une alchimie tout en nuance qui n'arrive que très rarement sur un plateau de télévision.

Manitas de Plata, la légende, quatre-vingt-huit ans, a allumé la dernière étoile de cette soirée de rêve en serrant dans ses bras le petit Swan, onze ans, un manouche surdoué. D'une guitare à l'autre. Et bien plus pour moi : j'avais onze ans moi aussi quand Maman m'a emmené écouter Manitas dans une église. Mon premier spectacle. La boucle est bouclée.

Pendant la répétition, l'après-midi, je n'ai pas résisté au plaisir d'appeler Maman pour lui passer son dieu vivant. Il l'a appelée « Madame » avec un infini respect. Et puis j'ai repris le téléphone pour tenter d'apaiser sa contrariété de ne pas être avec nous. La bronchite qui m'épuise depuis lundi a été un parfait alibi.

— Y' a des microbes partout. T'as bien fait de ne pas venir. De toute façon, j'ai parlé avec Chico et les Gypsies. Dans quinze jours, c'est eux qui vont descendre pour toi.

Je n'ai pas menti. J'ai décidé que ce qu'elle n'avait pas pu vivre, on le lui porterait là-bas, à la fenêtre de sa chambre, en sérénade. Et si sa vie nous en laisse le temps, on le fera.

— Tu serais fière, tu sais. Manitas m'a montré des photos extraordinaires.

Le vieux roi avait apporté ses trophées. De la poche intérieure de sa veste blanche, il a sorti des clichés usés qu'il m'a montrés avec une fierté d'enfant gâté. Lui, aux côtés de Brando, de Chaplin, de Bardot, de Burton et Taylor, de la reine d'Angleterre… Et puis une avec moi… En couleur, glissée au milieu, pour le plaisir de me faire plaisir. Vieux gosse, va !

La fête a été splendide. J'aurais pu finir la nuit dans le décor et dormir dans une caravane tant je me sentais ailleurs. Heureux. Chez eux comme chez moi.

Dans le couloir qui mène aux loges, j'ai attrapé un vieux gitan par l'épaule et je lui ai placé la dernière blague à la mode :

— Tu sais ce qu'on dit à un gitan en cravate et costume trois pièces ?

— Non !

— Accusé, levez-vous !

Il a éclaté de rire. Je lui ai glissé à l'oreille :

— Moi, j'aime plus les hors-la-loi que ceux qui la font.

Il a eu un petit sourire et il m'a lancé dans un français de caravane :

— C'est pas nous qu'on est des hors-la-loi, c'est la loi qu'elle est hors de nous !

Je les aimerai toujours ceux que la loi a mis hors d'eux. Quand je pense que j'ai failli être flic. En 1972, j'ai raté le concours d'inspecteur pour un point. Une chance peut-être. Mais ne crois pas que je déteste les policiers. Certains seulement. Ceux qui abusent de leur pouvoir. Je pourrais paraphraser les mots que faisait déclamer Audiard à Gabin dans le film *Le Président* :

— Il y a des flics pourris, mais il y a aussi des poissons volants, mais ça ne constitue pas la majorité du genre !

Dimanche dernier, en remontant sur Paris, ils m'ont serré au gyrophare sur la « 20 ». Un gros excès de vitesse. C'est pas une excuse, mais j'y voyais mal à travers la flotte. Pas la pluie, les larmes. Une petite fuite à la cuirasse.

J'ai d'abord pété les plombs :

— Je m'en branle, alignez-moi si vous voulez, foutez-moi au trou !

J'ai laissé la voiture et je suis parti à pied. J'ai bourré le premier platane venu de coups de poing, et puis j'ai respiré un grand coup et je suis revenu calmement m'excuser.

— Pardon, faites votre travail… Je m'excuse de m'être emporté. J'ai quelques soucis avec ma Maman qui ne va pas bien du tout.

Je n'ai rien dit de plus. Ils ont regardé mes yeux. Le plus grand m'a fait un sourire, et m'a dit en me tendant mes papiers

— On est d'abord des hommes, vous savez. On a des familles aussi. On est de tout cœur avec vous.

Je voudrais juste prévenir les petits malins qui trouveraient le stratagème astucieux pour échapper à la loi, que ce que j'avais au fond des yeux ce soir-là ne pouvait pas être joué. Et ce qu'il y avait dans les leurs, non plus.

C'était juste des regards d'hommes, hors célébrité, hors uniforme.

*Tu m'appelles en arrivant ?*

Des regards de fils.

Comme si chacune de nos mamans était derrière nous.

Invisibles.


En sentinelles.

Cette nuit, à Martel, je la sens encore plus derrière moi, ma sentinelle.

Comme si elle lisait par-dessus mon épaule.

Ne lis pas ça, Maman !

Ne lis pas ça !

## MARTEL.
### *21 novembre 2008. Quinze heures trente.*

Pour une fois, ce n'est pas la nuit. Mais presque. Le froid, la pluie fine, le ciel bas au ras des arbres emprisonnés dans un épais brouillard.

Le téléphone a sonné :

— C'est Isabelle… Voilà… Elle est dans le coma, appelle vite le professeur.

Il attendait mon appel. Il a été clair et précis, comme d'habitude.

— Une réanimation en soins intensifs ne servirait à rien. Ça la détruirait en la faisant souffrir. Le plus raisonnable est de la ramener de Toulouse chez vous. Elle sortira du coma ou pas. On ne peut pas savoir. Mais sincèrement, je n'y crois pas. Je suis désolé de vous dire que le plus probable est qu'elle va partir. Ça durera peut-être quelques heures, quelques jours tout au plus.

Il m'a semblé qu'une main m'écrasait le cœur. J'ai quand même insisté :

— La réanimation est vraiment inutile ?

— Vraiment. Plus rien ne marche. Il faut laisser faire la nature. Par chance, elle ne souffre pas… Désolé encore. Bon courage !

Je me suis mis au clavier pour juste écrire ça. En secours d'urgence. Ma carapace s'est un peu fendue. Pas brisée. Juste fendue.

Je vais attendre le gyrophare au bout de la piste d'atterrissage, dans deux heures. Même si la chance est infime, je crois de toutes mes forces à un réveil supplémentaire.

Elle est revenue tant de fois. Elle ne va quand même pas partir sans me dire au revoir !

J'attends.

## MARTEL.
### 21 novembre 2008. Vingt-trois heures.

Les brancardiers ont déposé Maman sur son lit à dix-huit heures trente. J'ai craqué. La vision était insoutenable.

Le médecin a constaté que le cerveau s'était éteint. Rien à voir avec les comas d'avant. Une hémorragie cérébrale, cette fois. Seul le cœur résiste et résiste encore  Le souffle de la pompe à oxygène rythme le silence de la petite chambre

Elle ne m'a pas dit au revoir.

Elle ne reviendra plus.

Jamais.

Mais elle vit.

Elle respire bruyamment. Péniblement.

Une seule question me hante : à quoi ça sert ?

Nous sommes là, tous, pleins de larmes. En attente. Une heure ? Deux ? Un jour ? Plus ?

À quoi ça sert ?

Le médecin m'a dit qu'elle ne souffrait pas.

Alors, on attend que l'horloge s'arrête.

À quoi ça sert ?

Est-elle déjà partie ?

Seul auprès d'elle, je me suis penché à son oreille et je lui ai murmuré en lui caressant les cheveux .

– Tu m'appelles en arrivant ?

## MARTEL.
## 22 novembre 2008. Six heures quinze.

C'est la nuit la plus abominable de ma vie. Dehors le vent glacial emporte les dernières feuilles. Le sommeil ne viendra plus.

Je suis en colere, révolté, dégoûté.

Maman est morte cliniquement depuis longtemps. Mais le cœur résiste d'une manière surréaliste. Chaque spasme de sa respiration lui arrache des soubresauts qui sont autant de coups de poignard.

À minuit, le médecin a dit :

– Attendons.

Attendre quoi, que Dieu décide comme le 12 novembre 1953 ?

Et puis à trois heures, je lui ai demandé de revenir pour qu'il fasse le maximum afin que le départ se passe le mieux possible. Le spectacle de ce corps qui se tord à chaque souffle arraché est devenu insupportable. Indécent. Les doses de Tranxène ont à peine ralenti les spasmes. C'en est même médicalement inexplicable. Le cœur continue à rythmer les pas vers la mort sans faiblir.

Où est-il, le droit de mourir dans la dignité ?

Ce que je vois est tout sauf digne. C'est laid, immonde, inutile. Je n'ai qu'une envie : prendre un coussin et l'appuyer sur sa bouche jusqu'à l'asphyxie. Si j'étais seul, il y a longtemps que je l'aurais fait. Ce n'est pas un problème de conscience, ni de courage, c'est une réserve familiale qui m'en empêche. Camille, les deux sœurs Pépée et Annie, mon fils Olivier, Isabelle, ma sœur et mon frère sont là. Depuis le début de la soirée, nous faisons des va-et-vient incessants entre la cuisine et la chambre. Saoulés de cigarettes et de cafés. La détresse est là, bien sûr, mais je ne suis pas sûr de la détermination de chacun à ce que cette mascarade cesse à n'importe quel prix. Seule Isabelle semble partager ma colère. Car, enfin, à quoi rime-t-elle cette prolongation sordide ? Je ne supporte plus cette photo écœurante d'un cadavre agité que l'on ne tolère qu'au nom du sacré de la vie. J'ai envie de hurler à chaque seconde. J'ai hurlé d'ailleurs. Contre ce code de fatalité qui nous pousse à nous contenter tous d'attendre bien sagement que la machine décide seule de s'arrêter.

— Le cerveau est mort. Elle ne souffre pas, c'est impossible, m'a répété le médecin.

Comment peut-il en être certain ? La douleur est tellement subjective. Même si tous les signaux physiologiques sont à l'arrêt, n'y aurait-il pas un espace indétectable qui nous

*Tu m'appelles en arrivant ?*

échappe où la souffrance aurait établi son camp de veille ? Le
visage de Maman se tord à chaque spasme et le raclement de
chaque souffle est insupportable à entendre.

Je n'accepte pas ce doute-là. Il me brûle, me déchire.

## MARTEL.
### 22 novembre 2008. Sept heures vingt.

La baie vitrée, devant mes yeux, commence à se colorer du rose et bleu du jour qui se lève. Les nuages se sont écartés. Des oiseaux passent. Où est Maman ? Dans les branches du sapin ? Derrière mon épaule ? Dans le souffle du vent ?

Son corps s'accroche encore mais son âme est partie, c'est sûr. J'espère qu'elle ne voit pas, là-bas, dans la chambre, ce honteux cadavre vivant qui s'entête à exister. Elle en pleurerait, de nous contempler si désemparés, nous tous qu'elle a tant aimés. Elle en hurlerait de rage de nous forcer à supporter ce spectacle d'elle en charpie.

Je me sens sale, hideux, d'avoir autorisé cette veillée dégueulasse. De n'avoir pas eu la force de passer au-dessus de mes états d'âme, de mes convenances familiales de principe, pour abréger cette agonie dégradante. Je sais que les images insoutenables que ma mémoire a imprimées cette nuit me poursuivront longtemps. Je sais qu'elles me persécuteront jusqu'à ma dernière heure.

Rien ne pourra me consoler d'elle.

Rien ne pourra me consoler de moi.

## MARTEL.
### Nuit du 22 au 23 novembre 2008.

Bien droite au centre du lit, la belle dame dort, paisible. Ses cheveux sont impeccablement peignés et tirés en arrière. Son visage poudré est apaisé. Un châle turquoise recouvre ses épaules. Ses mains blanches tiennent un chapelet de bois clair.

C'est ma quatrième Maman. Muette, glacée, immobile.

Je ne la connaîtrai que deux jours, le temps des visites et du registre des condoléances.

La troisième, tu sais, la vieille en charpie, a rendu son dernier soupir à quatorze heures, après une nuit d'horreur. Le corps et le visage déformés par l'épilepsie. Au moment de partir, elle s'est cabrée une dernière fois de toutes ses forces de toute sa volonté. Elle s'est raidie jusqu'à la rupture, et le cœur s'est arrêté de combattre. J'ai gardé encore quelques secondes dans ma main, la sienne, que je n'avais pas lâchée pendant l'ultime bagarre.

Une nuit abominable, t'ai-je confié. La matinée le fut encore plus. Au point même que vers neuf heures, le geste que je me refusais à faire, je l'ai amorcé. Sans état d'âme. Submergé par le dégoût de voir ce corps, comme secoué de décharges électriques, se projeter d'un bout à l'autre du lit. J'ai appliqué une serviette sur la bouche et le nez et j'ai appuyé. Fort. J'ai détourné le regard pour ne pas voir le sien. Cinq secondes. Dix. Quinze. Vingt. Trente. Une éternité. J'ai tourné à nouveau la tête vers elle. Et là, son regard mort jusque-là a semblé me supplier :

— Arrête, s'il te plaît, mon petit, arrête !

Mais ce regard-là ne criait pas ça pour elle, il le criait pour moi.

— Ne fais pas ça, mon petit, tu ne te le pardonneras jamais. Bien sûr qu'il me tarde que cette abomination finisse, mais, je t'en conjure, ne salis pas ta mémoire. Tu ne pourras jamais vivre avec ça.

Je te jure que ce regard, vitreux jusqu'à ce moment précis, s'est enflammé de cette supplication-là. J'ai relâché la pression, et le corps, après un apaisement de quelques secondes a repris ses soubresauts. J'ai vécu le pire moment de ma vie, mais je ne regretterai jamais ce que j'ai tenté. Je m'en voudrai juste, jusqu'à la fin de mes jours, de ne pas être allé au bout de mon dernier acte d'amour. D'avoir obéi à ce que ses yeux me commandaient pour me sauver moi, en renonçant à la délivrer elle.

Il arrive qu'un canard auquel on coupe la tête continue à courir, qu'une anguille dépecée saute encore dans la poêle en pleine cuisson.

— C'est exactement ça, m'a glissé le médecin, abattu, à son retour vers midi.

Qu'il a souffert lui aussi !

Admirable d'une abnégation qui dépassait de bien loin les exigences de sa fonction. Absolument désemparé par la force de résistance de ce cœur, battant une cadence infernale. Son pronostic, à vingt heures la veille, n'était que d'une heure ou deux. Maman a tenu seize heures de plus. Seize heures d'étouffements, de sursauts réflexes, de survie inexplicable.

Seize heures qui resteront mon pire cauchemar.

Ainsi, Maman est officiellement décédée le 22 novembre 2008, à quatorze heures. C'était donc bien Kennedy ! Quarante-cinq ans plus tard. Quand, ce soir, j'ai confié à Camille les prévisions de synchronicités que j'avais envisagées bien avant, il m'a fait remarquer :

— Je me souviens très bien de l'assassinat de Kennedy. On était à Argentat, c'est le premier jour où on a eu la télé à la maison.

Tu te souviens, la télé que Maman m'avait comman-dée pour que je regarde cette *Piste aux étoiles*, qui allait conditionner tout ce que je suis devenu. Elle est arrivée ce jour-là. Le 22 novembre 1963.

Joyeux anniversaire, Patrick Sébastien !

Plus rien ne m'étonne.

Et d'ailleurs est-ce que quelque chose peut seulement me toucher ?

Depuis que le corps de Maman s'est figé à jamais, je suis d'un calme impressionnant. Pas une larme. Pas une plainte. À peine une émotion en entrant dans la chambre où la « belle dame » dort. Quelle importance ?

Cette enveloppe reconstituée, remodelée, repeinte par les professionnels du trépas, ce n'est pas Maman. Bien que légèrement souriante et ne portant aucun stigmate de la nuit passée, la vision de son repos définitif ne provoque en moi qu'un très faible apitoiement. Aucune tristesse tangible Nous la trouvons belle, c'est tout. Digne. Nous la trouvons distinguée, même, cette dame de deux jours.

C'est qui, nous ?

Nous, c'est Maman et moi, bien sûr !

Nos âmes se sont définitivement et totalement fondues l'une dans l'autre au moment précis où le cœur a cessé de battre. C'est te dire si je suis fort. Indestructible. Et c'est pour ça que je ne pleure pas. Pour ça que je ne montre pas la moindre tristesse. Dans les premières minutes qui ont suivi la fin, j'ai ressenti une énorme culpabilité. Je m'en suis maudit :

— Tu viens d'assister à dix-huit heures de cauchemar absolu, tu as vu la femme de ta vie, ton soleil, ton indispensable se craqueler horriblement et mourir dans tes bras, et tu n'en ressens même pas la moindre peine. Mais quel monstre es-tu ?

Et puis, soudain, j'ai compris. J'ai senti une chaleur, une présence nouvelle envahir tout mon être. Et j'ai réalisé que le transfert avait été immédiat et que ma plus belle histoire d'amour était incrustée à tout jamais en moi.

Maintenant on va pouvoir se parler sans que personne n'entende ce qu'on se dit.

— On n'est pas bien là, mon petit ?

— Super-bien Maman, on va se régaler… Rien que déjà à l'enterrement.

— T'as raison, je te montrerai les sincères et ceux qui viennent pour la frime.

— Il y aura tes gitans, Maman.

— Pas la peine que tu me le dises, mon petit. Je le savais déjà, puisque désormais, je pense avec toi.

— Essaie de m'empêcher de sourire au cimetière, ils ne comprendraient pas.

– Compte sur moi… Mais promets-moi que maintenant, tu vas un peu plus écouter ce que je te dis.

– Quoi par exemple ?

– Eh bien, pour commencer : cette force qui te submerge, cet amour qui nous lie, ma présence qui est venue s'installer en toi, qui te rassure, qui te porte, pose-toi la question : et si c'était ça, Dieu ?

– Tu commences fort ! Laisse-moi le temps, je vais y réfléchir !

## MARTEL.
### *Nuit du 23 au 24 novembre 2008.*

Il est deux heures trente. Je viens de passer un très long moment, assis, près de la « belle dame » au châle turquoise et aux doigts croisés sur la poitrine. Tous les sens en éveil. La vue, figée sur un visage qui, hallucination ordinaire en ces circonstances, semblait par moments s'animer. L'ouïe attentive, guettant le soupir impossible  Le goût sec et amer d'une salive rare. L'odorat captant, pour le même particularisme de circonstance, un parfum unique, légèrement âcre, obsédant. Le toucher en longues caresses ou en baisers furtifs sur la peau glacée. Et des paroles aussi, des mots murmurés, joués, en ultimes confidences.

Et puis surtout le sixième sens. Celui de l'irréel, du mystique. Le plus impalpable mais sûrement le plus envahissant. J'attendais un signe. Un aveu. Pour tout t'avouer, j'espérais avoir, dans ce face-à-face sans autre communication que l'écho de vibrations inconnues, la réponse à la question la plus essentielle de ma vie : le secret de ma création.

Le boucher ? Le rugbyman ? Le poète ? L'embuscade ?

À l'instant présent, je n'ai qu'un indice : une phrase que ces ondes mystérieuses ont imprimée brusquement dans mon cerveau à mon insu :

« La forme désigne le responsable, le fond les circonstances. »

Je ne sais rien des mots qui vont suivre. Je pressens juste une écriture automatique. La « belle dame » m'a ordonné, il y a quelques minutes, d'aller au clavier et d'attendre.

J'attends.

Dix minutes…

Quinze…

J'attends encore.

Voilà, ça vient :


Autant qu'il m'en souvienne, il y avait du soleil
C'était tout juste avant que le printemps s'éveille.
Elle avait descendu le chemin du lavoir,
Flâné, sans autre but que d'attendre le soir.

Un jour de février, dimanche exactement,
Sous son manteau, la jupe, et un caraco blanc.

*Tu m'appelles en arrivant ?*

Autant qu'il m'en souvienne, ils n'étaient pas méchants,
Des hommes à peine un peu plus vieux que des enfants.
Elle ne s'est pas battue, ou du moins pas longtemps,
Pour eux c'était un jeu, pour elle un contretemps.

Un jour de février, dimanche exactement,
Sous son manteau, la jupe, et un caraco blanc.

Il n'y en a eu qu'un à oser l'essentiel,
C'était la première fois, elle regardait le ciel,
Bien sûr à contrecœur, mais c'est l'ordre des choses,
Pour s'offrir de l'amour, on coupe tant de roses.

Un jour de février, dimanche exactement,
Sous son manteau, la jupe, et un caraco blanc.

Autant qu'il m'en souvienne, elle a pleuré beaucoup,
Les épaules griffées, de la terre aux genoux.
Elle ne s'est plainte de rien, elle a gardé pour elle
Cette blessure que seules savaient deux hirondelles

Un jour de février, dimanche exactement,
Sous son manteau, la jupe, et un caraco blanc.

Autant qu'il m'en souvienne, du plus loin que je viens,
Le chemin du lavoir ne me rappelle rien.
Laisse guider ta main, je la tiens, mon petit,
Tu crois que tu inventes, mais c'est moi qui écris :

Tu es de février, dimanche exactement,
Une tache de sang sur un caraco blanc.

Ce serait donc le poète, pour la forme, et une relation forcée, pour les circonstances. Mais, me l'a-t-elle dicté réellement ? L'ai-je inventé parce que je voudrais que ça soit cela ? Ou parce que je souhaite que ça ne le soit pas ?

Je ne sais pas, c'est venu comme ça. Sans hésitation, sans rature. Je m'en contenterais.

Ce jet continu de mots rimés m'a épuisé. Mes doigts voudraient taper encore, mais ils sont presque anesthésiés. Je te laisse quelques instants. Je vais voir « la belle dame » et je reviens.

Cinq heures. Me revoilà. Les doigts à nouveau avides, et l'esprit au réel.

La nuit est longue. Sans réelle émotion. Une veille machinale, de la cuisine à la chambre, sans tristesse, sans sanglots. Demain, j'en suis sûr, elle sera la même. L'extrême force qui me porte m'a déshabillé de tout apitoiement de façade. Je circule de la table de cuisine au lit où elle repose comme en balade. Le corps de la « belle dame » est juste un ornement. Une trace. Je ne sens plus rien de Maman entre les murs de la chambre. Seule subsiste sa formidable empreinte en moi. Tatouée, profonde, étonnamment apaisante, euphorisante même. Son ultime protection.

Nana a été formidable d'amour. Toute la journée elle s'est postée près de moi, surprise elle aussi de cette indifférence apparente, mais vigilante, en béquille, au cas où. Toute la famille s'est resserrée. Compacte. Unie comme jamais. Les amis compassés ont envahi la maison dès le matin.

Ce pèlerinage de coutume s'est poursuivi toute la journée au rythme des accolades appuyées. Pour moi, c'était juste une mesure comptable. L'appel des présents, comme aux rentrées des classes. « Ils sont venus, ils sont tous là », chantait l'Arménien. Et j'en étais heureux. Presque indécemment enthousiaste. Souriant, blaguant parfois. Je m'en voulais un peu, de se détachement rassurant certes, mais un peu déplacé.

Mais, suis-je bête ! Quoi de plus normal, puisque c'est Maman qui jubilait à travers moi.

Demain sera certainement pareil. Je sais déjà que ce sera une journée de transit. Le calque en défilé de convenances de celle d'aujourd'hui. Je ne t'écrirai donc pas. Je veux prendre seulement tout le temps qu'il faut pour préparer mes derniers bagages avant ma nouvelle vie, et imprimer une dernière fois le visage de la « belle dame » pour ne pas me tromper d'ultime image à emporter.

Je ne me remettrai au clavier qu'après-demain. La première nuit où elle dormira au froid pendant que je m'écrirai au chaud. Pour conclure certainement. Faire le bilan de ce mois et demi de souffrances, de révélations, de doutes, de mensonges, de maladresses, de colères, et d'amour absolu.

Mais, quoi qu'il en soit, je garderai de ce soir une marque indélébile. Une fleur au jardin de l'ésotérisme. La certitude que le poème, vérité ou pas, est le premier signe d'une conversation qui va durer le reste de ma vie.

Juste après les mots rimés, quand mes doigts se sont bloqués, je suis tout de suite allé confier mon écriture automatique à Pépée. La gentille sorcière, bien plus rompue que moi aux sortilèges en tout genre, a souri. Elle m'a confirmé les balades dominicales sur le chemin du lavoir et le caraco blanc, que j'ignorais avant. Ces deux détails-là, au moins, m'ont été dictés par Maman. Pour le reste, que ce soit le fait de mon imagination ou un authentique aveu importe peu.

Il y a un fait acquis qui me remplit de joie : elle m'a appelé en arrivant !

# Épilogue

C'est comme la fin d'un effroyable orage. Il y a un peu plus d'un mois, dans une chaleur presque estivale, a grondé le premier tonnerre. L'annonce du pire : la mort programmée de Maman. Et puis, se sont succédé l'amoncellement de nuages, les averses, les éclairs, les accalmies, et à nouveau la pluie, la bourrasque. Pour terminer, en bouquet final, j'ai assisté au terrible craquement, au dernier éclair aveuglant, l'explosion dans un déluge de bruit. Tout de suite après, les nuages ont commencé à s'éloigner, le grondement aussi, ne roulant plus que de loin en loin.

Aujourd'hui, 25 novembre, date de l'enterrement, le ciel était entièrement dégagé. Réellement. Météorologiquement. Il a fait grand beau sur toute la région. Le soleil lançait ses étincelles sur le bois du cercueil, lorsque les hommes en noir l'ont porté du seuil de la maison à la voiture funéraire.

À peine une dernière ondée m'a-t-elle mouillé les yeux au moment où le curé bénissait le cercueil à la porte de l'église de Juillac. Et encore, c'était plus à cause du son des guitares gitanes et du chant émouvant de Manolo, mon ami gitan. Maman avait toujours souhaité que ce soit lui qui accompagne son dernier voyage. Il était bien là, au bord des larmes, étreignant chacun de nos cœurs de sa voix écorchée.

Il était quinze heures trente. Au même instant, à deux cents kilomètres de là, à Clermont-Ferrand, le petit Louis recevait la moelle osseuse de son frère en ultime tentative de survie. À Carcassonne, René émergeait définitivement du coma. Deux bombes désamorcées. Un cessez-le-feu provisoire. En contrepartie peut-être.

La cérémonie fut traditionnelle, pudique et merveilleuse. J'ai cédé à la tentation de quelques piques d'humour salvateur à mi-voix, pour souligner le peu de chance que les chœurs désaccordés des bigotes auraient d'entrer à la *Star Academy*. Et puis, après l'office, le long cortège emmitouflé a parcouru à pied les deux kilomètres menant au cimetière, maudissant certainement Maman *in petto*, d'avoir eu la mauvaise idée de mourir par un si grand froid.

Le caveau, les condoléances attristées, les retrouvailles avec des « faux vrais » intimes que je n'avais aperçus qu'une fois dans ma vie. L'affliction sincère des vieilles copines, des « vrais vrais amis ». Et cette belle confidence d'un vieux compagnon d'école :

– Tout cet amour si bien vanté par le curé me fait penser qu'il faudra que je m'occupe un peu plus de mes parents dorénavant.

C'est vrai qu'il a été formidable, l'homme de Dieu. J'avais passé trois heures avec lui, hier, dans son presbytère, à lui avouer à la fois mon agnosticisme et l'amour absolu que je portais à Maman. Trois heures à lui raconter son unicité, son dévouement, sa générosité chronique. Tout ce que, cet après-midi, après une synthèse d'une justesse étonnante, il a fait éclater sans dithyrambe de circonstance. Juste et sincère jusqu'au moindre détail.

Alléluia ! ont-ils chanté.

En d'autres temps, j'aurais ironisé, persiflé. Seulement voilà, je suis bien obligé de reconnaître qu'une lumière invisible m'emplit depuis la mort de Maman d'une sérénité qui m'était inconnue jusqu'à présent. Dieu ? Je doute que, d'un coup, sur une illumination je me mette à croire en lui. Plus tard peut-être, si Maman insiste. Ce que je sais c'est que je crois en elle : cette force de l'amour qui m'a déshabillé de tout chagrin, cette étonnante acceptation du tragique sans larmes, sans effondrement.

Je suis rentré à Martel sans aucune appréhension. Léger. Comme si je venais de ne mettre en terre qu'une matière étrangère. Un emballage. Les caveaux ne sont faits que pour les corps. Dieu, s'il existe, et pourquoi pas finalement, a fait de mon âme le vrai tombeau de Maman. Il a refermé le couvercle et désormais, elle me suivra partout. Je m'attendais à tout sauf à cette extraordinaire paix intérieure. Une béatitude, dont je t'avoue que je n'ai pas le souvenir d'en avoir connu d'une telle intensité.

Et qui sait si ce n'est pas elle qui a demandé cette faveur à son Dieu ? Donnant, donnant. Son âme contre la mienne. Souviens-toi de ce que je t'ai avoué être depuis le début de ce récit : fatigué, suicidaire, blasé, profondément désespéré, en limite de rupture. Et si Maman avait ressenti l'urgence d'abattre ce mal-être ? Elle m'a toujours deviné, bien avant que je prenne moi-même conscience de mes abysses. Et si, son contrat de mère rempli, elle avait demandé à partir pour soulager mon agonie ? En sacrifice suprême. Et si c'était ça le véritable sens des derniers mots qu'elle m'a dits, le soir où elle partait à Toulouse pour l'ultime perfusion ? Tu te souviens :

— Ne t'inquiète pas, ça ira mieux après.

Parlait-elle d'elle ou de moi ?

Je vais mieux. Tellement mieux. Elle a été exaucée. Elle n'est partie que pour me rejoindre et son Dieu ne me l'a prise que pour me la donner. Merci bien, m'sieur !

Faites qu'elle ne me quitte plus jamais, on est si bien ensemble !

C'est ma dernière prière.

Et les derniers mots de l'épitaphe :

« Au nom du père absent, du fils chéri, et du saint-esprit de résistance et d'amour absolu qu'elle m'a transmis. Au nom de l'incroyable force, que la violence et l'absurdité de son ultime chemin de croix ont installée en moi. Au nom d'Andrée Boutot, dite « Dédée », femme de générosité et de compassion. »

Ma plus belle histoire d'amour.

Ma Maman.

31 mars 1935 – 22 novembre 2008.

Inhumée en moi.

*Ad vitam aeternam.*

Ainsi soit-elle !

Cet ouvrage a été imprimé par

C P I
Firmin Didot

Mesnil-sur-l'Estrée

pour le compte des Éditions Florent Massot
en mai 2009

Imprimé en France

Première édition, dépôt légal : mars 2009
Nouveau tirage, dépôt légal : mai 2009
N° d'impression : 95514